황혼은
어디서 그렇게
아름다운 상처를 얻어 오는가

황혼은
어디서 그렇게
아름다운 상처를 얻어 오는가

김보일 글·그림

빨간소금

구부러진 언어들

적은 것은 많은 것보다 적다는 논리, 앞선 것은 뒤에 선 것보다 먼저라는 논리가 우리의 행성을 지배하고 있다. 하지만 우주에서 날아온 어떤 강력한 에너지의 작용으로 이 논리가 수명을 다한다면 그래서 적은 것은 많은 것보다 많다, 혹은 적은 것은 많은 것보다 많을 수 있고, 앞선 것은 뒤에 선 것보다 나중일 수 있다, 라는 논리 아닌 논리, 본말이 전도된 논리가 지상의 양식이 된다면 세상은 어떻게 변할까. 시간과 공간은 어떤 구부러진 형상들을 만들어 낼까, 언어는 어떤 식으로 구부러질 것이고 그 구부러진 언어들 속에서 나의 생각은 어떤 오묘한 표정을 하고 있을까. 그런 세상에서 색수상행식(色受想行識), 오온(五蘊)이 개공(皆空)일지는 알 수 없어도 오온이 개판이 될 가능성은 농후하다. 팔다리가 머리에 붙고 배보다 배꼽이 더 큰 세상, 낮은 자가 높이 되고, 할아버지 수염에서 개구리들이 하품의 알을 까는 세상.

성숙은 혼돈을 견디는 힘의 증가라는 니체의 말을 좋아한다. 모든 것이 제자리를 지키는 것이 질서라지만 본래 있어야 할 자리라는 것이 이미 허구 아닌가. 왜 하나만 가능해야 하는가. 왜 다른 것은 가능하지 않은가. 왜 여기이어야만 하고 저기이면 안 되는가. 이것이면서 저것, 여기이면서 저기이면 안 되는가. 죽은 것들이 산 자를 불러내고, 산 자들이 죽은 것들을 불러내는 가을밤, 벌레들은 제 몸의 울음통을 혼신의 힘으로 흔들고, 그 소음의 천지를 묵묵히 견디며 나무들은 나이테를 늘려간다.

이 지구상의 어딘가에 다른 세상의 출구가 있을 수 있다는 믿음, 지금 여기의 무대와 조명과는 다른 세팅이 가능할 수 있다는 믿음 쪽으로 나는 늘 구부러져 있다. 여기에 모은 글과 그림들은 그런 허황된 믿음의 소산이다. 자명한 것들은 그 자체로 밝고 명료해서 더 이상의 군더더기가 필요 없겠지만 자명하지 않은 것들은 늘 찜찜하고 미진한 구석이 있어서 무언가를 발설해서 제 흠결을 어떻게든 메우려 든다. 잘하는 아들에겐 잘 한다는 잔소리가 필요 없지만 못 하는 아들에게는 핀잔이 필요하다. 책을 펴내는 이상 이웃들의 쓴소리를 잘 견디겠다. 인연을 받지 않고 싶다는 불가능한 나의 꿈이 실현된다면(어림 턱도 없는 꿈이지만) 지구상에서 만난 가족들과 벗들과 동료들이 '우주 맨 끝의 사람들'일 수도 있다는 생각을 하면 참으로 느껍다. 고마운 이들이여, 모두 안녕들하시라!

차례

식물성의 돌기

Boil Brown 선생의 하루

글썽이며 빛나는,

그러나 가질 수 없는

저녁의 나무, 2016

글썽이며 빛나는

저무는 법도 가르쳐야 하려나.

저물어야 할 것들이 저물지 않는다.

황혼, 물과 불이 만나 술이 되거나 어둠이 되는 시간.

황혼은 몰락의 다른 이름이 아니다.

시간이 깊어지고 아득해질 뿐.

오래된 소인이 찍힌 별빛의 엽서를 읽는 시간.

우주의 끝이라는 100억 광년 너머에서 출발한 빛들이

당신의 눈에서 고단한 짐을 푸는 소리를 듣는다.

그것은 어떤 반짝임이고 글썽임이다.

거기가 시작이고 그리고 끝일 것만 같다.

어찌해 볼 수 없는 거리에서 말없이 글썽이며 빛나고 있는 것.

한 생으로는 가닿을 수 없는 것.

고개를 들어 그저 바라보는 수밖에.

글썽이며 빛나는, 가질 수 없는 것들.

별들의 침묵

창을 여는 소리에 놀랐는지, 바람이 이 나무에서 저 나무로 경중경중 건너뛰고 개가 짖는다. 밤이 나에게 무엇을 판서해 주던가. 헤매던 길과 골목이 나에게 어떤 주인의 대문 앞에 당도하게 해 주었나. 어떤 황혼의 겨드랑이가 나를 품어 주었고, 어떤 장엄한 성좌가 나의 뱃머리를 인도해 주었던가. 어둠이 붉은 낯짝과 흐린 눈을 가려 줬을 뿐, 혼미와 피로로 얼룩지던 귀갓길 끝에 나는 어떤 깨달음의 현관에 이르렀던가.

저녁이 유난히 빨리 오던 십일월의 어느 날, 나는 키가 낮은 기와집에서 흘러나오는 촉수 낮은 불빛의 다정함에 취해 그 집 창에 귀를 바짝 대어 본 적이 있었다. 밭은기침 소리와 남편의 건강과 자식과 손주들의 안부를 걱정하는 노인들의 목소리가 그 불빛에 섞여 있었다. 내 귓속으로 흘러들어 오던 환한 불빛의 말씀들. 그 이후로 나는 모든 불빛에는 목숨의 부스러기가 묻어 있다는 것을 어렴풋이 알았다. 드럼통에 건자재를 태우며 마디 굵은 손을 녹이는 목장갑 사내들의 불가로 나를 다가서게 한 것도, 가래를 톺아 내며 톱밥같이 틉틉한 목소리들을 뱉어 내는 불빛의 힘이었다. 그래, 조근조근 세상의 아픈 곳을 짚어 주던 그 밤의 불빛이 선생이었다. 밤에 기대어 밤을 건너가는 저 쓴 생의 목소리들, 눈을 또록또록 뜨고 있는, 저 귀도 없는 별들의 침묵이 선생이었다.

무의도에서

무의도(舞衣島), 춤추는 옷자락의 섬에 왔다. 우체통이 있던 자리, 국밥집이 있던 자리, 연락선이 닿던 자리. 모든 지점은 지도상의 한 점에 불과한 것이 아니라 누군가가 머물렀던 자리, 누군가가 제 고된 몸을 기대었던 자리, 한 사람이 저의 체온과 눈물과 한숨을 떨구고 간 자리다. 나는 그런 기다림과 서성임의 길목에 나를 세워 두고 싶어 황혼을 본다는 핑계로 무의도로 가는 잠진도 선착장에 오래 서 있다. 내가 모르는 사연과 등불을 달고 배들은 바다 쪽으로 나아가고 새들은 불빛의 부스러기를 찾아 육지 쪽으로 떼 지어 날아간다. 사람과 짐승의 그리움이 태어났을지도 모를 거리에서 저녁별이 젖니처럼 돋는다.

고요한 상처의 시간

강아지와 키 다툼을 하던 도토리 시절,

보광초등학교에 갓 입학한 누나의 가방을 메고 도망치다

도랑 가시철망에 눈과 이마를 찢겼다.

어머니는 핏덩어리를 등에 업히고 외투를 씌워 달리기 시작했다.

어디로 달리는 것인지 어머니의 심장 소리가 멀리서 들려왔다.

기차처럼 어머니는 나를 싣고 아주 먼 나라로 달려가고 있었다.

환하고 따스한 피가 흘러내리는 고요한 시간,

어머니의 등이 무덤처럼 고요해서

자꾸만 졸음이 쏟아졌다.

윤곽, 2016

도깨비

뿔이 나고 양미간에 돼지귀얄털이 솟은 도깨비를 본 것은 초등학교 3학년 무렵, 열병의 열탕 속으로 떨어져 혼쭐을 놓고 있는데 난데없이 도깨비가 이불을 끌어당겼을 때였다. 이불을 빼앗기지 않으려고 나도 맞잡고 끌어당겼다. 두개골을 뭉갤 듯한 도깨비의 힘이 느껴졌지만 구슬치기, 자치기, 딱지치기, 철봉, 돌팔매질로 단련된 내 팔 힘도 무력하기만 한 것은 아니어서 나는 이를 악물고 이불을 잡아당겼다. 온몸에서 진땀이 흐르고 몸은 연탄구덕처럼 뜨거웠다.

내 옆에서 혼곤히 잠들어 있는 엄마에게 구원을 요청했지만 내 소리는 몸속에 갇혀 메아리만 돌 뿐, 세상의 수챗구멍 밖으로 한 치도 새어나오지 않았다. 누군가가 연탄구멍만 한 내 입을 양말로 꼭 틀어막은 듯했다. 나는 직감적으로 이 줄다리기가 내 운명을 건 싸움임을 알았다. 땀이 비 오듯 했고, 등에서는 훅훅 더운 바람이 불었다. 어어어어엄마…… 가까스로 내 목소리가 엄마에게 전해졌을 때, 도깨비는 공중에서 모래 기둥처럼 허물어져 갔다. 스르르 손아귀의 힘을 풀고 저간의 사정을 엄마에게 말하자, 엄마는 도깨비에게 네가 졌다면 너는 세상 사람이 아니었을 거라며 내 땀을 닦아 주었다. 세상으로 귀환한 아들을 눈물로 꼭 안아 주셨다. 열이 다 빠져나간 내 몸은 새벽 같았다.

엄마와의 줄다리기에서 이긴 도깨비야, 패자에 대한 예의를 다해 다오. 고수레, 고수레. 너에게는 떡 한 덩이. 도깨비와 줄다리기하시랴, 이승과 줄다리기하시랴, 눈물 땀 흘리셨을 엄마에게는 술 한 잔.

죽 한 그릇

죽죽 설사똥 싸며 희멀건 죽을 먹다 보면

혼자 죽을 쑤어 드셨을 어머니의 세월이 잘 보인다.

죽 그릇에 동동 떠 있는 어머니의 세월.

목숨 속으로 꾸역꾸역 밀려들어오는 죽 한 그릇으로

삭신을 일으켜 탄불을 갈고 시퍼런 새벽 찬물에

손 담그셨다. 죽겠구나, 죽겠구나 하던 말들,

죽 한 그릇으로 말끔히 비우고, 목구멍 근처에서

채 삭지 못한 밥 알갱이들 내장 깊숙이 밀어 넣으며,

새끼들이 원수지, 새끼들이 원수야, 뇌까리며

수건을 질끈 동여매셨을,

그 희멀건 세월의 건더기들이 죽 그릇 속에서

삭지도 않고 잘도 보인다.

그때나 지금이나

장과 장이 들러붙는 장 유착 수술로 어머니가 노량진역 앞 병원에 입원했을 때의 이야기다.

장 수술 환자들은 장 안에 들어차 있는 가스가 방귀로 나와야지만 음식물을 먹을 수 있고, 퇴원도 가능했다. 장 수술을 끝낸 어머니도 방귀가 나오길 기다리며 집에 가서 당신의 속옷을 챙겨오라고 내게 심부름을 시키셨다. 집에 가서 보자기에 속옷을 챙겨 단단히(?) 묶은 다음 병원으로 가고 있는데, 장승배기 술집 골목 부근에서 뭔가 허전한 느낌이 들었다. 이상한 예감에 뒤를 돌아보니 아뿔싸, 보자기에서 풀려난 어머니의 브라자가 저만치 떨어져 있는 것이 아닌가. 가던 길을 되돌려 떨어진 브라자를 줍고 보니 예닐곱 발자국 뒤에 이번엔 어머니의 빤스가 떨어져 있었다. 그 빤스를 줍고 보니 저쪽에 또 하나의 빤스가 내 손길을 기다리고 있었다. 가던 길을 되돌려 빤스를 챙겨 바짝 고개를 수그리고 술집 골목을 빠져나오는데 짙은 화장을 한 작부들이 내 모습을 보며 요란하게 웃어 대는 것이었다. 아, 구겨질 대로 구겨진 내 스무 살의 붉은 뺨이여.

빠른 걸음으로 술집 골목을 빠져나와 노량진역 앞 병원에 가서 빤스와 브라자에 얽힌 저간의 이야기보따리를 풀어놓으니 어머니는 이런 덜떨어진 놈 같으니, 하며 배꼽을 잡고 웃으시는데, 그 웃음 끝에 방귀가 풍풍풍 하고 딸려져 나오더란 이야기. 그 방귀 소리에 어머니 웃음소리가 더 커지더란 이야기.

북망산 너머에서 이 글을 읽고 어머니는 풍풍풍 하늘 한구석을 쿠릿쿠릿하게 하고 있는 건 아닌지 모르겠다. 어머니, 저승은 청정 구역이라구욧……. 어머니, 그곳에서도 풍풍풍 잘 계시죠?

아름다운 무지

구닥다리 286 컴퓨터, 하드가 자그마치(?) 40메가인 시절이 있었다. 모뎀 선으로 최진실 비키니 사진 한 장 받는 데 무려 4시간이나 걸렸다. 그것도 받다가 다운되기 일쑤. 컴퓨터로 야동을 보는 것은 생각조차 못했던 시절. 286 컴퓨터로 글을 쓴답시고 여름방학 내내 낑낑거렸는데 컴퓨터가 바이러스를 먹어 하드가 몽땅 날아갔다. 완전 난감이었다.

바이러스에 한여름을 송두리째 잡아먹히고 우거지상을 하고 있자니, 어머니는 내 눈치를 살피며 아내에게 묻는다. "아범, 뭔 일 있냐? 왜 밥도 안 먹고 저러냐?" 아내는 어머니에게 "컴퓨터가 바이러스 걸려서 한 달 동안 쓴 글이 모두 날아가 버렸대요" 한다. 어머니는 걱정스레 "바이러스라고? 그럼 아범은 괜찮냐?" 한다. 아내는 웃어야 할지 말아야 할지 난감한 표정이다. 내가 킥킥거리자 그제야 아내도 웃어도 되는 거구나 하고 킥킥 따라 웃는다. 우거지상을 풀고 밥을 먹게 한 것은 어머니의 아름다운 무지였다.

송파 꽃님의상실 옆집에 살던 때의 이야기다.

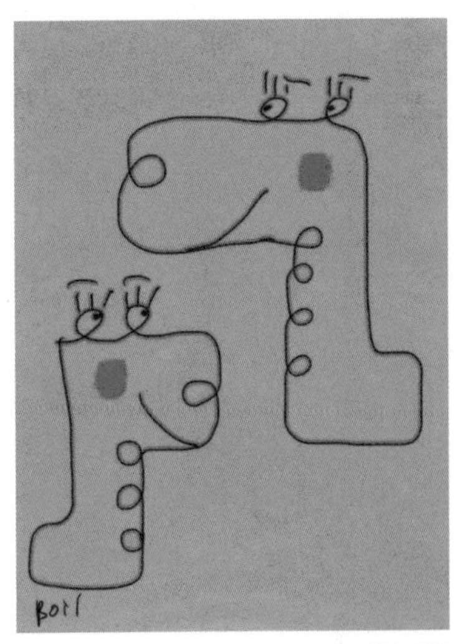

모자, 2012

기도, 2014

은행나무 어머니

은행나무가 지구상에 등장한 것은 2억 년 전, 그때부터 가을이면 은행나무는 노랑 잎을 달고 쿠릿쿠릿한 냄새를 지상에 풀어놓았을 것이다. 지구행성은 가타부타 입 뻥긋 않고 2억 년 동안 은행나무 방귀를 잘 참아 주었을 것이다.

일산병원의 은행나무들이 노랗게 물들어 있을 때, 나는 어머니의 똥 범벅이 된 기저귀를 갈아 주었다. 그때 나는 처음으로 내가 꼬물락꼬물락 빠져나왔을, 어떤 늙은 여자의 성기, 세상의 입구이자 출구를 보았다. 내가 은행나무 방귀 냄새를 2억 년 동안 잘 참아 준 무던한 지구행성이 되어 보았던 것은 그때의 며칠뿐이었다.

은행나무 어머니께서 노랑 잎사귀로 당신의 기일이 멀지 않았음을 알려 준다.

달밤, 2017

천기누설

항아리 물속에 뜬 달을 본 것은 여섯 살 무렵 보광동에 살 때였다. 뭔지는 몰랐지만 아주 조용한 느낌이었고, 그 고요를 깨선 안 될 것 같아 물을 마시고 오줌을 누고 방에 들어가 잤다.

아주 조그마한 나무

녀석의 이름은 잊었지만 녀석의 광대뼈와 찢어진 눈을 기억한다. 꿈길에서까지 나를 따라와 툭하면 욕설을 내뱉고 종주먹으로 아이들의 코피를 내기 일쑤이던 살쾡이 같은 녀석. 녀석과 마주친 것은 어느 함박눈이 소복하게 내린 아침이었다. 동네 어귀를 지나는데 한 여자가 울컥울컥 피를 토하고 있었다. 흰 눈 위에 뿌려지는 검붉은 피, 그것은 녀석의 어머니가 뱉어 내는 피였다. 녀석은 어머니의 등을 두드리며 울고 있었다. 녀석의 눈물을 본 것은 그때가 처음이자 마지막이었다. 나는 망연히 녀석의 눈물과 그의 어머니가 뱉어 내는 검붉은 피를 번갈아 바라볼 뿐이었다.

그때였다. 녀석은 뒤로 돌아서 싸늘하게 내뱉었다. 구경 났냐, 개새끼야. 나는 황급히 꼬랑지를 접고 그 자리를 떴지만 이후로 녀석은 더 이상 꿈에서 나를 괴롭히는 소년이 아니었다. 녀석은 제 어머니의 나무 옆에 붙어 자라는 아주 조그마한 나무였을 따름이었다.

그의 아버지가 누군지 모른다. 그가 어떤 나무로 자랐는지도 알 수 없다. 상상은 할 수 있겠지. 그러니까 이것은 여러 이야기가 시작되는 씨앗일 뿐이다. 성냥팔이 소녀의 성냥 같은…….

저녁의 나무2, 2015

꿈속의 노란 상자

뗏목 타고 압구정동 배 밭으로 가는 한남나루에서 미꾸라지를 잡는데 노란 상자 하나가 떠내려 왔다. 열어 보니 죽은 아이가 있었다. 금빛 머리칼이 곱슬곱슬했고 눈이 파랬다. 모세라고 했더니 동네 형들은 모세가 아니라 양갈보가 버린 아이라고 했다. 누나가 쑥을 뜯던 오산중학교 근처에 묻어 주고 세 번 절을 했다.

그날 밤, 나는 태어나자마자 강물에 실려 강 끝까지 떠내려갔다. 한 늙은 부부가 나를 강물에서 건져 길렀는데, 늙은 부부는 같은 날 함께 죽으면서 너는 강물에 떠내려 온 아이라고 유언을 남겼다. 나일강 너머에 있을 나의 집을 생각하니 베갯잇이 흥건해져서야 잠에 들었다. 꿈속에 눈이 파란 미꾸라지가 노란 상자 속에 우글우글거렸다.

이승의 냄새

어릴 적 겨울에는 두어 달에 한 번 목욕하는 것이 창피한 일이 아니었다. 머리 냄새, 속곳 냄새, 땀 냄새, 발꼬락 냄새……. 냄새는 기본으로 달고 다녔다. 썩은 거름 냄새, 뒷간 냄새, 돼지우리 냄새, 메주 냄새, 개짐 냄새……. 시골 할머니 집은 냄새들의 공회당이었다. 누구도 냄새를 피하지 않고, 냄새 속에서, 냄새와 더불어, 코 막지 않고 늠름하게 버텼다. 사람들이 모인다는 것은 냄새들이 모인다는 것을 의미했다. 냄새는 한 사람의 정체성의 일부다. 물론 어떤 꽃에게는 절반 이상이다. 호흡을 피할 수 없는 이상 숨과 함께 내 속으로 딸려 오는 냄새는 숙명이다.

피안의 세계에도 냄새가 있을까. 만약에 있다면 그 냄새는 이승의 냄새를 닮아 있을까. 산 자들은 향을 피워 먼 세계로 형체가 없는 냄새를 타전한다. 흠향하시라고. 숨이 있으시거든 한번 맡아 보시라고.

타인의 눈 속에 내가 있었네

4학년 때 엄마가 내일이 소풍날이라고 시장에서 빨간 넥타이가 달린 셔츠를 하나 사 주셨다. 소풍지는 국립묘지였던 것 같다. 어린 나이에 넥타이라니 하도 대견해서 옷을 입고 침을 머리에 발라 하이칼라로 빗어 넘기고 거울 앞에서 몇 번이나 의젓해진 내 모습을 바라봤다.

그러나 이튿날 빨간 넥타이가 달린 셔츠를 입고 아이들 앞에 나서는 순간, 나는 돌연 뭔가 잘못되었다는 것을 깨달았다. 아이들 앞에 서는 순간, 나는 내 눈으로써가 아니라 타인의 눈으로써 나를 보게 되었던 것이다. 여러 친구의 눈앞에 어제까지 빨간 넥타이를 매고 우쭐거리던 아이는 없었다. 그저 무엇인가 잘못되었다는 생각으로 얼굴이 붉어진 소년이 친구들의 눈앞에 쭈뼛거리며 서 있을 뿐이었다.

주관을 넘어 객관으로 나를 본다는 것은 내 눈을 통해서 나를 보는 것이기도 하지만, 남의 눈을 빌어서 나를 보는 일이기도 할 것이다. 오직 너의 눈을 통해서 너를 본다면 너는 더없이 훌륭한 존재일 것이다. 그러나 그런 너는 영원히 4학년에 불과할 것이다.

4월의 소년, 2014

소년의 주술

초등학교 5학년 때, 동네에 한 녀석이 이사를 왔는데 녀석의 집에 가 보니 책이 어마어마했다. 너희 아버지 뭐하시냐고 물었더니 극작가라고 했다. 텔레비전 연속극을 쓴다고 했다. 방바닥에서 천정까지 사방을 둘러 빼곡히 꽂혀 있는 책을 본 것은 그때가 처음이었다. 나중에 알게 된 그의 아버지는 〈오장군의 발톱〉을 쓴 희곡 작가였다.

희고 매끄러운 얼굴, 녀석의 얼굴엔 귀티가 흘렀다. 여느 아이들과는 달리 우주와 천문에 관심이 많았다. 어느 날인가는 무중력 상태에 대해서 내게 장황한 설명을 해 주기도 했다. 내가 별똥에 관심을 갖게 된 것도 어쩜 녀석 때문인지 몰랐다. 명석하고 총명했지만, 녀석의 단점은 폐활량이 무척 작고 동작이 굼떴다는 것. 그에 비해 나는 날쌘 다람쥐였다.

어떤 날은 바짝 약이 올라 나를 쫓아왔지만 폐활량에서나 주력에서나 그가 나를 앞지를 수는 없었다. 녀석이 천문학 책에 코를

박고 있을 때, 나는 야전에서 달리기와 돌팔매로 뼈가 굵지 않았던가. 녀석은 씨근덕벌근덕대며 나를 쫓아왔지만 나는 멀찌감치 앞서서 내뺐다. 녀석은 도저히 나를 붙잡을 수가 없다고 생각했는지 가쁜 숨을 몰아쉬며 멈추어 서더니 돌연, 벽에다가 돌로 커다란 얼굴을 그리고 얼굴 옆에 내 이름을 썼다. 그러고는 주위에 있는 돌멩이를 들어 그 얼굴 형상을 향해 던지는 것이었다. 주술이 탄생하는 순간이었다. 우주를 저의 뜻대로 조종하고 통제하고 싶다는 한 소년의 욕망이 만들어 낸 형상! 녀석이 던진 무수한 돌멩이가 그 형상으로 날아들고 있었다. 그 돌멩이들 앞에서 내 얼굴과 이름 석 자는 속수무책이었다. 형상과 실재를 혼동할 만큼 나는 어리석지 않았지만 땀 때문인지 얼굴이 따끔했던 것도 같다.

홍옥

인물 반반하기로는 홍옥(紅玉)만 한 게 없다. 침을 뱉어 옷에 몇 번 문지르면 마치 군기가 바짝 든 졸병이 말표 구두약으로 불광을 낸 구두코처럼 홍옥은 반짝거린다. 육질이 약하다 보니 툭하면 물러 터지고 퍼석해지는 이 비자본주의적 과일은 보관성이 약해 겨울 내내 두고 먹을 수 없다. 달큼하고 시큼한 맛은 초가을 잠깐뿐이다. 근육과 골격이 튼실한 수입종 부사가 사과 시장에 등장하자 홍옥은 슬그머니 자취를 감췄다. 물러 터지는 것, 쉬어 터지는 것, 누선(淚腺)이 약한 것들은 시장에서 갈 곳이 궁색하다.

서부이촌동 36번 버스 종점 부근 상근이네 판잣집이 철거되는 광경을 지켜본 적이 있다. 철거반원들이 빠루와 도끼로 지붕을 뜯어내고 있는데도 상근이 엄마는 태연히 술상을 놓고 방에서 술을 마시고 있었다. 상근이는 울면서 엄마를 방에서 밀어냈지만 상근이 엄마는 내 방에서 내가 술 마시는데 누가 뭐라느냐며 태연히 술을 마셨다. 홍옥을 보니 오늘은 그때 상근이 엄마의 붉은 빰이 떠오른다. 가을이다.

촉각, 2013

껍질과 속살

만리동 고개 버스 정류장에 있는 중구와 용산구의 경계석을 보니 과거의 한때가 떠오른다.

어릴 적 뉴스에서 서울에 비가 올 거라는 날씨 예보를 듣고 아버지에게 대충 이런 질문을 한 것 같다. 아버지, 그럼 서울과 인천의 경계에서는 서울 쪽에만 비가 오나요? 나는 서울과 인천의 경계선을 따라 한쪽만 비가 내리는 장면을 상상하면서 아버지에게 질문을 했다. 서울과 인천의 경계선 중앙에 서 있으면 내 몸의 왼쪽은 젖고 오른쪽은 젖지 않느냐는 질문이었다. 아버지는 생뚱맞은 질문이라고 하실 뿐 시원한 답을 해 주시지 않았다. (아이들의 질문에 정확한 답을 해 주기 위해서 아버지들은 실력 있는 철학자나 과학자가 되지 않으면 안 된다.)

어디선가 들은 말인데 어떤 초등학생 아이는 담임선생님이 집에 '가자마자' 숙제하라고 했다며 현관문에 '들어서자마자' 노트를 펼치고 숙제를 했다고 한다. 언어에 얽매이는 아이들의 어리숙함은 유치하지만 무구한 웃음을 자아낸다. 어떻든 그땐 그랬다. 언어의 경계가 사물의 경계인 줄만 알았다.

사물은 언어로 채울 수 있는 빈칸이 아니다. 빨주노초파남보, 무지개를 떠올려 보라. 일곱 칸은 언어의 칸이지 무지개의 칸이 아니다. 칸은 언어 속에 있는 것이지 사물 속에 있는 것이 아니다. '껍질'이란 말은 벗겨 내고, 깎아 내고, 도려내는 분리와 제거, 쓸모와 쓸모없음을 전제로 한 말이다. 그러나 껍질과 속살은 분리할 수 없는 한 몸, 한통속이다. 처분해야 할 잉여를 만드는 것은 말이지 사물이 아니다. 어쨌든 무구한 어리석음으로 돌아가기엔 세월이 한참이나 흐른 것이다.

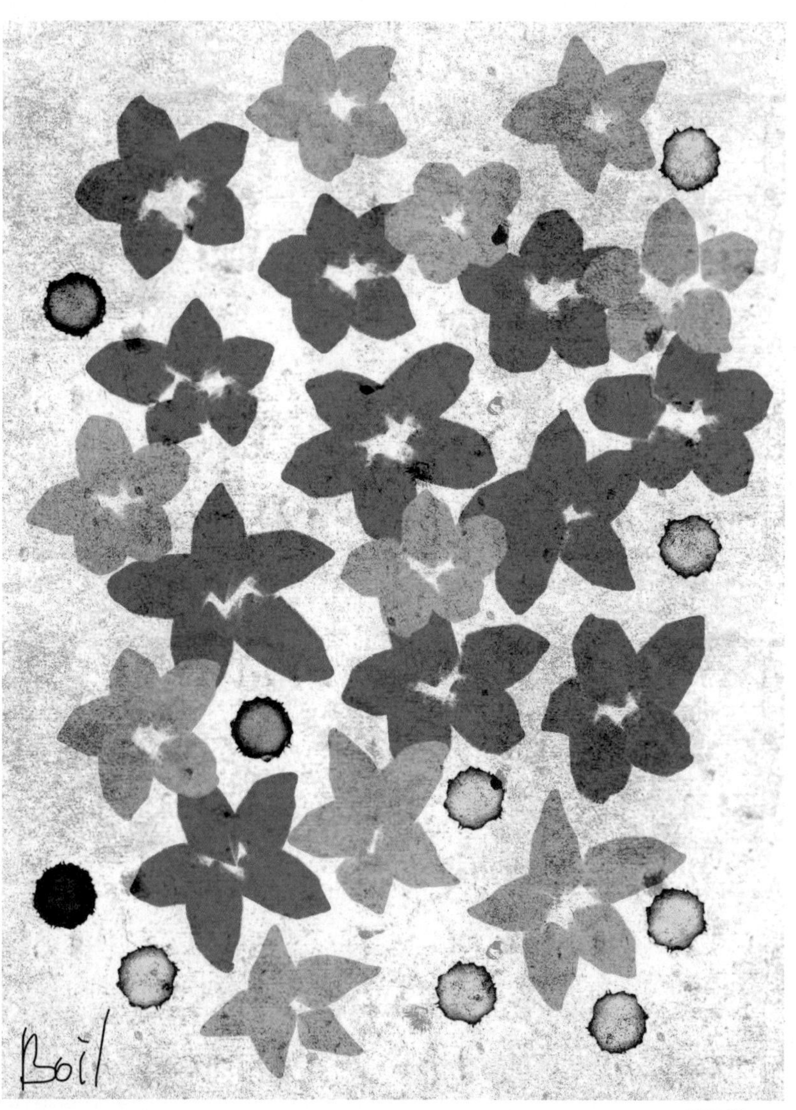

화양연화, 2017

닐론과 나일론

친구들은 다 어디로 갔는지, 혼자서 야구 글러브를 들고 서부 이촌동 새남터 한강철교 밑으로 가서 물수제비를 떴다. 돌을 몇 개나 던졌을까. 친구들은 오지 않고, 팔은 아프고, 땀을 식히려 철교 밑 그늘로 들어가 앉아 무심코 글러브를 내려다보니, 글러브에는 'Nylon'이라고 씌어 있었다. 나는 약간 자그마한 소리로 "닐론"이라고 발음했다. 그때였다. 등 뒤에서 나를 가볍게 타박하는 소리가 들렸다. "아니, 아니, 나일론." 돌아보니 대학생쯤 되는 누나가 고개를 좌우로 흔들고 있었다.

대체 이 땡볕에 무엇 하러 나온 것일까. '나일론'으로 발음하든 '닐론'으로 발음하든 내버려둔다 해서 세상이 어떻게 되는 것도 아닌데, 그녀는 안타까운 목소리로 소년의 독음을 교정해 주었다. 그녀가 가르쳐 주는 대로 "나일론?"이라고 발음했더니 그녀는 고개를 끄덕이며 땡볕 속으로 걸어 들어갔다.

닐론과 나일론, 딱 두 마디 사이에서 내 몽정기의 시작이 조금

휘청거렸다. 그 이후로 '나일론'을 만 번 이상은 발음했지 싶다. 세상이 어떻게 되는 것도 아닌데. 애꿎은 돌멩이들을 강물 속으로 날리며.

똥과 직선

모든 선은 흐드러지고 에둘러 가고 굽이친다. 자연계에 직선은 존재하지 않는다. 그러나 내가 완벽한 직선을 본 것은 1972년 서울 대홍수 때였다. 기록에 의하면 1972년 8월 18일 하루에만 273밀리리터의 비가 쏟아졌단다. 이 기록적인 폭우로 내가 살던 인근의 한강로, 삼각지, 보광동과 한남동 저지대, 원효로가 물에 완전히 잠겼다.

원효로에는 재래식 화장실이 빗물에 넘쳐 똥이 수면을 둥둥 떠다녔다. 문제는 원효로를 채우고 있던 수면이 시간차를 두고 단계적으로 낮아졌다는 것이다. 지금 생각건대 한강 홍수관제센터에서 한강의 범람을 고려해 한강 수위를 조절하기 위해 도심의 하수관에서 강의 본류로 통하는 수문을 간헐적으로 여닫은 데 원인이 있지 않나 싶다. 아무튼 한강 수위 조절로 원효로에는 똥들이 노변의 벽들에 완벽한 기하학적 질서를 이루며 일렬횡대로 늘어서는 장관이 연출된다.

주사기의 빗금처럼 똥들은 일정한 간격을 두고 횡으로 늘어서 있었다. 그것은 똥 스스로 조직해 낼 수 없는 완벽한 질서였고, 놀라움 그 자체였다. 직선으로 늘어선 똥의 장엄함이라니, 재난을 재해로 인식하지 않고 미적 체험의 기회로 여길 줄 아는 어린 예술가(?)가 탄생하는 순간이었다. 한강 하류로 떠내려오던 초가집 지붕과 그 위에서 울부짖던 어린 돼지도 그 똥의 일사불란함과 정연함에 비하면 놀라움이 댈 게 아니었다. 파란 점박이 물고기가 내 방을 헤엄치는 꿈을 꾼 것도 아마 그 무렵이었을 것 같다.

아, 별똥!

논산훈련소 27연대 1중대 4내무반 야간 독도법 훈련 시간. 교관의 지시로는 북두성을 찾으라 했는데 시야를 조금 벗어난 곳에서 조그만 별똥이 하나 떨어지는 것이 덜컥 눈에 들어왔다. 보려고 하는 것보다 보려고 하지 않은 것이 더 눈에 들어오는 곳이 밤하늘이다. 더구나 나의 눈은 보라는 것만 보라고 달린 눈이 아니었다. 눈마저 국가의 소유로 편입될 이유가 없었다. 게다가 탄성 없이 어찌 별똥을 볼 수 있으랴. 아, 별똥! 분명 밖으로 들리지 않게 내뱉은 소리가 교관 귀에 들어갔던 모양이다. 사회물이 덜 빠졌다고 그 자리에서 개박살이 났었다. 나를 파괴하지 못하는 것은 나를 더 강하게 할 뿐. 그런다고 빠질 물이었으면 벌써 빠졌겠소. 어쨌든 나무를 보건, 별똥을 보건, 풍광을 보건, 무엇을 잘 보려면 무리에서 떨어져 나와야 할 필요가 있다. 브레이크타임이 필요한 이유. 그러나 별똥은 아무 때나 떨어진다. 천지불인! 졸병들의 사정쯤은 내몰라라 개무시한다. 그래도 아름다움은 고통과 맞바꿀 가치가 있다. 아무렴.

동생

두 살 터울인 동생이 대입학력고사를 보는 날 새벽, 나랑 같이 연탄가스를 맡았다. 짙은 안개로 연탄가스가 굴뚝으로 제대로 배출되지 않은 것이 원인이었다. 집안에 난리가 났다. 나도 속이 울렁거리고 머리가 깨질 것같이 아팠으나 엄살 부릴 처지가 못 되었다. 동생에게 김칫국물을 먹이고 가까스로 정신을 차리게 하여 택시에 태워 수험장에 도착했다. 동생이 수험장으로 들어가는 모습을 보는 순간, 역겨운 구토가 치밀어 오르고 현기증이 나서 난 그만 폭삭 주저앉았다.

몇 년 뒤 내가 입대하던 날, 동생은 형을 배웅한다며 논산훈련소 입구까지 따라왔다. 동생은 말없이 그냥 내 옆에 있어 주기만 했다. 연인이라면 손이라도 잡았겠건만 형제가 할 수 있는 것은 최대한 침묵을 깨지 않는 일이었다. 누군가가 가는 길에 같이 따라가 주는 것, 말없이 옆에 있어 주는 것, 그의 그림자 곁에 나의 그림자 하나를 더 보태 주는 것. 생각해 보면 바로 이런 일이 어떤 융숭한 환대만큼 느껍고 고마운 일이다.

걸인, 2013

군상, 2017

지리멸렬의 날들

왕사발, 왕사탕, 왕고들빼기, 왕만두……. '임금 왕' 자를 기세 좋게 눌러쓰고 있는 말들을 보면 호텔 도어맨들의 화려한 복장과 동남아 공연을 방금 마치고 돌아온 가리봉동 스타 오빠의 반짝이 의상이 떠오른다. 궁색함이 눌러쓰고 있는 화려한 외피여, 너는 얼마나 많은 곤고한 날들의 한숨을 뒤집어쓰고 있는가. 습기로 얼룩진 이 바닥을 떠 무지개 저편으로 날아오르고 싶었던 지리멸렬의 날들.

도림동 한얼야학 시절 남한산성 소풍날, 시장에서 양복 사 입고 선글라스로 한껏 멋을 내고 뒷주머니에 도끼빗 꽂고 팔자걸음으로 나서던 남한산성 울긋불긋한 단풍 길에서, 용접을 하던 자립반 춘근이는 내게 물었다. "선생님 저 멋있어요?" 눅눅한 바닥을 떠나 오늘은 찐 달걀에 햇고구마 삶아 햇빛 속으로, 바람 속으로, 소풍 가는 날. 에라 크게 인심 한번 쓰자 싶어 두 개의 엄지를 치켜세워 주었다. 왁자지껄 햇살의 수다가 볼 만한 날이었다.

새벽의 약속은 다 어디로 갔나

1985년에 고려원에서 나온 로맹 가리의 자서전 《새벽의 약속》. 이 책에 등장하는 로맹 가리의 어린 시절 에피소드 하나.

로맹 가리가 아홉 살 되었을 무렵, 발랑띤느라는 한 아름다운 소녀를 사랑하게 된다. 날씬한 몸매에 밝은 눈의 갈색머리 소녀였다. 문제는 이 소녀가 어린 수컷 아이들의 경쟁 심리를 묘하게 자극했다는 것. 로맹 가리는 그녀의 마음을 사로잡기 위해 자신의 용감성을 증명해 보이기 시작한다. 일본 부채 한 개, 무명실 2미터, 버찌씨 1킬로그램과 어항에서 건진 금붕어 세 마리를 삼켰다, 용감성을 증명해 보이기 위해서였다. 그러나 그녀는 감동의 기색을 보이지 않는다. 달팽이를 먹어 치운 날에 발랑띤느는 눈썹 하나 까딱하지 않고 이렇게 말한다. "조제크는 나를 위해 거미를 열 마리나 먹었어."

이에 로맹 가리는 수컷으로서의 자존심을 걸고 불퇴전의 모험을 감행한다. 고무신 한 짝을 먹어 치우기로 결심한 것. 실제로

로맹 가리는 발랑띤느 앞에서 주머니칼로 고무신을 잘라 먹기 시작한다. 식은땀을 흘리며 구역질과 싸우면서 혼신의 힘을 다해 고무신을 먹기 시작한다. 이후에 그는 병이 나서 병원으로 옮겨지게 된다.

로맹 가리는 그 일이 있고 나서도 칼자국이 난 고무신을 간직하게 된다. 그는 사십이 될 때까지 그의 손이 닿는 곳에 신발을 놓아두었다. 그는 그 대목을 이렇게 적고 있다. "나는 다시 한번 나 자신의 최선의 것을 주기 위해 그것을 먹을 준비가 되어 있었다. 그러나 그런 기회는 오지 않았다. 마침내 나는 내 뒤 어딘가에 그 신을 던져 버렸다. 사람은 두 번 살 수 없는 것이다."

거미 열 마리를 먹는 조제크도 없고, 고무신을 씹어 먹은 로맹 가리도 없다. 전설도 없고 신화도 없는 올망졸망 꾀죄죄한 날들이다.

여자의 귀, 남자의 귀

맞벌이를 하던 시절, 아들이 두세 살 무렵의 일. 새벽 두시에 아이가 운다. 잠에서 깨어 대체 왜 아이를 울리느냐고 타박을 하니 아내는 대체 무슨 사정으로 아이가 우는지 아느냐고 따진다. 모른다고 하니 밖에서 무슨 소리가 들리지 않느냐고 묻는다. 차가 집 앞에 서 있는지 엔진 소리 말고 들리는 소리가 없어, 차 소리밖에 들리지 않는다고 하니, 아내는 저 차 소리 때문에 아기가 운다는 거였다. 아니 차 소리 때문에 우는 아기도 있냐고 하니, 그렇다며 자초지종을 짧게 설명해 준다. 저 창밖의 자동차 소리를 아이는 아침마다 자기를 데리러 오는 어린이집 자동차 소리로 생각하고 엄마와 떨어지기 싫어 운다는 것이었다. 그런 설명을 전해 주는 아내의 눈에는 눈물이 그렁그렁 맺혔다.

인간의 언어를 모르는 지구상의 외계인, 갓난아기의 유일한 소통 수단은 울음이다. 목이 말라도, 졸려도, 배가 고파도, 기저귀가 축축해도, 몸에 열이 끓어도 아이는 운다. 울음은 양육자, 엄마에게 보내는 구원의 요청, 내게 손을 써 달라는 협조의 요청이다. 아이가 구원과 신호의 요청을 보내오면 양육자인 엄마는 응답을 보낸다. 젖을 먹이든지, 기저귀를 갈아 준다든지, 안고 어른다든지, 해열제를 먹인다든지 하는 조치를 취한다. 양육자는 아이에게 눈을 맞추고 끊임없이 신호를 교환한다. 몸과 몸이 부딪히며 일어나는 이런 의사소통 과정을 겪으면서 엄마는 아이의 울음소리만을 듣고도 저 울음이 어떤 협조를 구하는 신호인지를 간파하게 된다.

아빠는? 아빠의 귀는 아기의 모든 울음소리를 잠을 방해하는 하나의 '소음'으로 분류하는 경향이 있다. 남자의 귀는 신의 창조물로서는 완성도가 떨어진다.

설경, 2012

설국열차

2001년 2월, 엄청난 폭설이 내렸다. 시내의 간선도로는 한 자가 넘는 눈에 파묻혀 차량 통행이 불가능했고, 버스 정규 노선은 운행을 중지했다. 인도와 차도의 구분도 사라졌다. 사람들은 차도든 인도든 발길 닿는 대로 걸을 수 있었다. 그때 나는 서울역 앞 도로를 동료들과 함께 무단으로 건넜다. 유일한 교통수단인 전철은 무료로 운행되었다. 사람들의 눈이 빛나고 얼굴에는 알 수 없는 기쁨이 번지고 있었다. 시스템의 일시적인 붕괴는 무질서를 가져오지 않았다. 오히려 이상한 활력이 백색의 도시를 감쌌다. 그때 이런 글을 썼던 기억이 있다.

"폭설이다. 모든 길은 끊어졌다. 내가 가는 곳이 모두 길이 되는 신생의 시간이다."

혁명이란 폭설과도 같은 것이 아닐까.

폭동이 일어나든, 기계적 고장으로 탈선을 하든, 그것도 아니라면 눈사태로 백설의 철퇴를 맞든, 나는 그날 어쨌든 내가 타고 있는 '설국열차'가 전복되기를 바랐다.

세계의 질서가 뒤집어지기를 바랐다.

누굴 선동할 마이크도 없고 총기도 없지만 세상이 다른 식으로 굴러가길 원했다.

다른 꿈을 꾸었다는 것만으로 죄가 된다면 누군들 역적이 아니랴.

개똥지빠귀도 굼벵이 새끼도 두 다리로 버티기엔 버거운 시절이다.

남쪽에 눈이 많이 내렸다는 소식을 들으니 그때의 일이 생각났다.

최 과장

행복 전도사요 카피라이터로 알려진 분이 계셨다. 이름만 대면 아, 그 사람 할 정도로 유명세를 탄 분이다. 불행하게 생을 마감했지만 그녀는 쾌활했고 지적이었으며, 무엇보다 내가 잠시 머물렀던 모 그룹의 광고회사 과장으로, 내게 상사로서보다 선배로서 따뜻했다. 그녀는 나중에 계열사 사장으로까지 승진했지만 내 기억 속에서의 그녀는 항상 최 과장이었다.

내게 카피라이터로서의 재능이 있었다고 생각해서였는지 최 과장은 이런저런 광고의 아이디어를 신입 사원인 내게 물어 왔고, 그때마다 나름 정성껏 대답을 했더니 한번은 고맙다고 음악회 티켓을 건네는 거였다. 로얄석이었다. 역시 명성답게 최고의 관현악단은 최고의 자장가(?)를 들려주었고 로얄석의 쿠션은 최상의 수면을 내게 보장해 주었다. 깊고 아늑한 잠이었다. 최 과장은 세종문화회관을 거대한 침실로 만들어 버린 나를 깨우며 최고의 음악 앞에서 잠드는 것은 무례라고 했고, 나는 최고의 음악에 대한 최대한의 예의와 겸손이라고 무례하게 맞대응했다.

최 과장은 내가 회사를 팽개치듯 그만두었을 때 변변찮은(?) 곳에서 재능을 썩히지 말라며, 나의 퇴사를 진심으로 축하해 주며 내게 누런 가죽 가방 하나를 선물해 줬다. 누런 가죽 가방은 이제 다 닳아 없어졌다. 훗날 신문에서 그녀의 죽음을 알게 되었을 때, 나는 그날의 잠과 무례와 겸손을 생각했다. (부디 인연을 받지 않는 곳에서 영면하시길.)

어제 부산에 계시는 모 시인의 초청으로 아내와 같이 국립중앙박물관의 공연장에서 열린 음악회에 갔다. 나는 예전의 경험을 떠올리며 가급적 내가 취할 수 있는 가장 편안한 수면 예비 동작을 취했다. 그러나 신기하게도 음악이 들리는 거였다. 고인이 된 최 과장의 모습이 보이고, 광주 사투리가 조금 섞인 최 과장의 목소리가 들리고, 로얄석의 쿠션에 몸을 묻고 잠든 내 모습이 보이고, 누런 가죽 가방이 보이고, 바이올린과 첼로와 플루트의 소리가 귀로 들어오는 거였다.

시간이 생의 비탈을 거슬러 오는 소리!

설일, 2011

아름다움의 연대

2011년, 지리산 종주를 하면서 장터목산장 부근에서 비오는 날 텐트도 없이 침낭 속에 들어가 비닐을 둘둘 말고 비박을 했다. 5월 무렵이었지만 산악 지형에 비까지 내리고 있어서 몹시 추웠다. 일행들과 술에 몸을 녹일 생각으로 소주를 반병쯤 먹고 잠들었을 것이다. 산행의 피로에 술기운까지 더해져 이내 깊은 잠에 떨어졌다. 아무런 꿈도 없는 깊은 잠이었다. 보르헤스의 표현을 빌자면 아마도 그때가 "하늘에서 비밀의 문이 열리고 물병 속의 물이 달콤해지는" 그런 시간이었을 것이다.

그런데 새벽 두 시쯤 되었을까. 아무런 이유 없이 눈이 떠졌다. 비는 그쳐 있었고 주위는 고요하기 그지없었다. 그때 침낭 속에서 올려다본 하늘은 무어라 표현할 수 없는 신비와 충격, 그 자체였다. 비가 갠 밤하늘에 떠 있는 수많은 별과 성좌와 하늘을 가로지르는 은하수. 그것들을 바라보는 순간, 어떤 벅찬 기운이 내 몸을 관통하는 듯했다. 그리고 거짓말처럼 눈에서는 눈물이 흘러내렸다. 그때 내 곁에서 그 밤하늘이 주는 느낌을 고스란히 같이 뒤집어썼던 친구, 미학적 동지가 있다. 아름다움은 사람을 하나로 묶어 준다. 이성(理性)으로 하나 되는 연대도 좋지만 느낌으로 하나 되는 연대는 그보다 훨씬 더 끈끈하다. 산과 밤하늘, 침묵과 별들과 사람들의 연대! 아직 청춘이 남아 있다면 그런 연대를 실천하는 데 바쳐지는 게 좋겠다.

새의 위로, 2014

내 친구, 승환이

승환이가 돈이 생겼다며 술 산다기에 저녁 먹고 대흥역으로 나갔다.

승환이는 주머니에 돈이 오래 있는 꼴을 못 본다.

이런 녀석은 재벌로 태어났어야 옳다.

둘이서 만났으니 소주잔이 두 개면 될 터인데,

승환이는 술집 주인에게 소주잔 세 개를 달라더니

한 잔을 채우고 그것은 지난여름에 죽은 한정수의 잔이라고 했다.

나는 술 때문에 죽은 놈에게 무슨 술이냐고 했더니,

승환이는 아무 말 없이 그냥 술만 마셨다.

'풀꽃향기'라는 이름을 가진 꽃집을 하던 죽은 승균이 이야기도 하고,

정신이 오락가락하시는 노부의 이야기도 하고,

옛날에 살던 동네, 이태원과 보광동 이야기도 하고,

앞뒤 문맥이 맞지 않는 이야기들을 몇 개 더했다.

헤어질 때 아내의 생일을 축하한다고 커다란 케이크를 사 줬다.
이 무슨 닭짓이냐고 응수했으나,
승환이는 "받아, 새끼야"로 대꾸했다.
일단 받았다.
술집을 나올 때 보니 정수의 잔은 그대로였다.
마실 수 있을 때까지만 세상이다.

J의 가출

J라는 녀석이 가출을 했는데 술집에서 일한다는 정보가 있어 퇴근 후에 찾아갔다. J는 그곳에서 웨이터로 일하고 있었다. 이리저리 구슬려 집에 가자니 J는 돌아가지 않겠단다. 그래, 그렇담 너의 담임으로서가 아니라 이 술집의 손님으로서 술을 마실 터이니 맥주를 가져오라고 해서 한 박스 이상을 마셨다. 빈속에 술을 마신 탓인지 취기가 빠르게 올라왔지만 애써 정신을 차려야 했다. 내 상태를 눈치챈 J는 그만 마시라고 종용했지만 이미 봇물이 터진 상황, 나는 계속 술을 주문했다. 아니 들이부었다. 술이 떨어져 더 주문을 하니 J는 큰 소리로 "선생님 더 마시면 죽어요. 이젠 그만요" 하는 거였다.

그때였다. 홀에서 큰 소리가 나니 웬일인가 싶어 중년의 사내가 나타나 소란의 자초지종을 물었다. 종업원들의 태도로 보아서 사내는 술집의 사장인 것 같았다. J는 나를 가리키며 이분이 그만 마시라고 아무리 해도 계속 술을 달란다고 소란의 내막을 알렸고, 나는 이 녀석이 내가 담임하는 학급의 학생인데 집에 가자고 해도 막무가내라 할 수 없이 계속 술을 마신다고 소란의 내막을 알렸다. 사장은 뭐 별것 아닌 문제로 소란을 떨 것 있느냐며 J를 내일 학교로 돌려보낼 터이니 선생님도 그만 마시고 귀가를 하라는 거였다. J는 다음 날 학교로 돌아왔고, 나는 그날 하루 종일 2리터 이상의 물을 마시게 된다.

오래전 그때, 나는 J를 술집에서 빼 내오기 위해 술을 마신 것일까, 아니면 내 취흥을 이기지 못해 술을 마신 것일까. 전자라고 말하고 싶지만 누군가 정색을 하며 "정말?"이라고 묻는다면 답이 궁해진다. 과연 명분은 성향을 이길 수 있을까.

연필, 아름다운 짐승

후박나무의 여름이 느릿느릿 걸어 칠월의 문턱에 와 닿던, 낙타표 문화연필의 시절, 연필심 하나 부러져 어린 가슴의 지붕이 내려앉았다. 오늘 침대에서 스케치용으로 쓰던 4B연필이 부러졌다. 침대가 왼쪽으로 기우뚱했고 머리에서 붉은 피라미들이 빠르게 흩어졌다. 속내는 무르지만 한없이 부드러운 손길을 가진 이 연필은 아침의 미소나 한낮의 구름을 그리기 알맞은 도구였다. 연필은 작업실이 따로 없는 나의 화실인 침대에서 나의 무게를 이기지 못하고 부러졌다.

부러진 이 연필은 연필이 아니다. 연필은 나무의 겨드랑이를 거쳐 손목에서 뻗어 나간 손끝이고 구름의 눈가에 우거진 눈썹이고 오월의 가슴에서 뻗어 나간 두 개의 지붕이고 너에게서 나에게로 오는 천 개의 유리창이다. 천 개의 유리창이 깨지면서 손끝이 떨리고 눈썹이 뽑히고 지붕이 내려앉고 새들이 깨어진 유리창으로 날아들었다. 이 연필은 분명 연필이 아니다. 연필이란 이름을 빌어 내게 온 어떤 짐승의 아름다운 얼굴이고 죽음이다. 낙타들의 비명 소리가 그곳까지 들렸다면, 네가 부러진 연필의 이름이다.

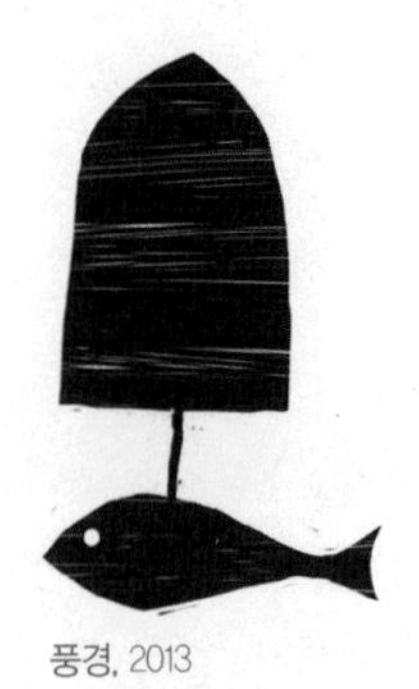

풍경, 2013

내 고향 진도

진도는 내 아버지와 어머니의 고향이자 내 먼 조상들의 고향이다. 서울에서 태어났지만 누군가 물으면 나는 서슴없이 고향이 진도라고 답했다. 육자배기와 문인화와 설화와 삼별초의 땅! 이십 대 초반에 나는 진도를 염두에 두고 이런 글을 썼다. 시라고 내밀기엔 쑥스러운, 방만한 언어들.

애장터 항아리 속에서 부는 아이의 휘파람 소리였을까요, 서낭당 당산나무에 걸린 창호지를 날리며 불어와 북어를 꿰동인 토방 벽 삼베올 속을 올올이 넘나들던 것은. 북어 눈자위에 박힌 진주알의 침묵만큼이나 밤새 바다는 깊어만 가고 고뿔에 질린 아이의 새벽꿈은 푸른 미역발에 가위를 눌리며 보았더랬지요. 따개비굴에 똬리를 튼 먹빛 실뱀이 울돌목 거친 물매암 속으로 빨려 들자 동백꽃 송이송이 한 줄금 쏘내기로 무리져 내리던 것을.

뜨듯하게 적신 아랫도릴 느끼며 바라본 새벽은 뒤안 대숲 속에서 허기진 시장기를 채우며 샘물을 긷고, 지난 밤 가난보다 먼저 취해 쓰러졌던 아버지의 흥어리흥어리 출항 노래가 해파리의 등짝마냥 참 맑게도 빛났더랬습니다. 어찔한 나의 신열이 아버지의 출항 노래를 따라가 한 종지 샘물에 눈썹을 씻고 싸리울에 설라치면 일찍 깬 목선들이 푸른 새벽안개를 모아 또 하나의 빛나는 섬을 낳고 있었던 것이 내게는 참 잘도 보였더랬습니다.

우리가 가난한 바람이었을 때 가진 것 없어 투명한 살 속으로 흐르는 동백꽃 붉은 잎은 모두가 눈물이었지만, 우리의 눈물은 애장터 항아리 속에 누워 부는 휘파람처럼 어둠 속에서면 더욱 질기게 뿌리내리는 삼베올 질긴 출항의 흥어리흥어리 노래였더랬습니다.

이제 진도는 내 꿈의 부스러기가 널린 땅으로만 남지 않을 것이다. 그곳으로부터 새로운 역사가 만들어질 것이다.

어머니의 재봉틀, 2015

이야기, 이야기, 이야기들

송편이 꾸덕꾸덕해지는 추석 이후, 만국기가 휘날리는 오류극장 개천변 가설무대에서 곡마단 쇼를 본 적이 있다. 소녀는 붉게 칠한 입술을 앙다물고 공중을 겅중겅중 건너뛰고 있었다. 열다섯 살이나 되었을까. 공중그네에 실린 소녀의 가슴이 애기 주먹만 했다. 난쟁이도 있었고 뚱보도 있었고, 모자에서 비둘기를 꺼내는 마술사도 있었고, 붉은 벽돌을 배 위에 올려놓고 해머로 내려치는 차력사도 있었지만, 공중그네를 타는 소녀의 새알 같은 가슴이 슬퍼서 다른 것은 잘 보이지 않았다.

남산 약수터 근처에서 바윗돌에 대걸레 자루를 묶어 놓고 50미터를 날아 보겠다는 사내도 있었다. 눈이 휘둥그레져서 사내의 주위에 사람들이 모였다. 설마설마했지만 사내의 기세가 나를 듯 등등했다. 사내는 조금만 기다리면 비행을 시작하겠노라면서 회충약만 팔았다. 인삼주를 담그는 병 안에는 구불구불한 회충이 국숫발처럼 엉켜 있었다. 빨리하쇼, 빨리해, 노인들이 성화

였지만 사내는 약만 팔았다. 삼십 분이나 지났을까. 사내는 돌 위에 앉아서 담배를 꺼내 물며 제가 황금박쥐라도 되남요, 날긴 어떻게 날겠어요, 하는 거였다. 불만 있으면 배 째 보라는 식이었다. 워낙 되통 맞게 생겼고, 말뽄새가 험악해서 아무도 대거리를 하지 않았다. 돈 내고 돈 먹기, 밑져야 본전, 그 많던 야바위꾼들은 다 어디로 갔나. 같잖은 말만 믿고 시간을 거덜내던 그 덜떨어진 사람들은 다 어디로 갔나.

하품하던 호랑이들은 다 어디로 갔나, 한 모금의 담배 연기로 슬픔을 버히던 그 많던 무사들은 다 어디로 갔나, 석양의 주막들과 호리병 같은 주모들은, 선반 위의 국그릇과 젓가락들은 다 어디로 갔나, 웃을 때마다 흔들리던 목젖의 시절들은, 향기로운 겨드랑내를 뿌리며 나풀나풀거리던 수줍음의 연분홍 치마들은 다 어디로 갔나, 짝짝이 신발을 신고 뒤뚝거리던 봄날의 아지랑이들은 다 어디로 갔나, 비를 긋던 처마 밑의 채송화들과 굳고 정한 갈매나무의 겨울들은 다 어디로 갔나, 하얀 손수건의 언덕과 말 못하는 벙어리장갑들은, 산타루치아 물 위에 빛나던 창공의 별들은 다 어디로 갔나, 부에노스아이레스까지 파고 들어가겠다던 땅강아지의 억세고 무모한 손톱들은 다 어디로 갔나, 심심사 쭉쭉팔 도리짓고 장땡의 꽃방석들은, 떡 하나에 울음을 딱 그치던 떡두꺼비들의 머저리 같은 슬픔들은 다 어디로 갔나, 쑥대머리 귀신 형용 칼 쓴 춘향이의 속적삼을 킁킁거리던 떠꺼머리총각들의 팔뚝들은, 잘난 건 없어도 순정과 의리는 있다, 뚝방패 건달들의 피로 쓴 맹세들은 다 어디로 갔나, 여름을 온통 쥐고 흔들던 수매미들의 영혼이 담긴 울음소리들은, 끼니때를 잊고 굴러가던 정신 나간 굴렁쇠들은, 달그락달그락 천장 위를 말 달리던 시건방진 쥐새끼들의 다락들은 다 어디로 갔나, 돌 밑에 눌러둔 눈 다래끼의 눈썹들, 해당화 홑청에 새겨진 바늘땀 같은 시간들, 시치며 호며 공그리던 내방가사의 향긋한 문지방들은 다 어디로, 어디로 흘러서 갔나.

즐거운 구라

장승업이 그렸다는 '삼인문년도(三人問年圖)'.

세 노인이 나이를 묻는다.

먼저 한 노인이 말했다.

"내 나이를 얼마나 먹었는지 알지도 못한다. 단지 내가 어렸을 적에 천지를 만든 반고(盤古) 씨와 친하게 지냈던 생각이 날 뿐이다."

또 한 노인이 말했다.

"바다가 변하여 뽕밭이 될 때마다 내가 숫자 세는 산가지 하나씩을 놓았는데 지금 내가 놓았던 산가지가 벌써 열 칸 집을 가득 채웠다."

다른 한 노인이 말했다.

"내가 신선들이 먹는 복숭아를 먹고 그 씨를 곤륜산 아래에 버렸는데 지금 그 씨가 쌓여 곤륜산과 높이가 같아졌다. 내 나이로 본다면 두 사람이란 것은 하루살이나 아침에 나왔다가 저녁에 죽는 버섯과 무엇이 다르겠는가."

嘗有三老人相遇, 或問之年, 一人曰 吾年不可記. 但憶少年時, 與盤古有舊. 一人曰 海水變桑田時, 吾輒下一籌, 爾來吾籌已滿十間屋, 一人曰 吾所食蟠桃, 棄其核於崑崙山之下, 今已與崑崙齊矣. 以子觀之, 三子者, 與蜉蝣朝菌, 何以異哉. (蘇軾, 《東坡之林》 권7)

노인들의 구라가 장난이 아니다. 대체 학번이 뭐고 나이가 뭐기에 늙어서까지 저러랴 싶다가도, 이런 걸 해학으로 봐 줘야지 않겠나 하는 생각도 든다. 인터넷도 없고 공중파 방송도 없고 인쇄매체도 변변치 못하던 시절, 크나큰 즐거움 중에서 입으로 눙치는 구라가 최고가 아니었을까. 거짓말인 줄 뻔히 알면서도 그 속으로 빨려 들어가던 마음들, 눈동자들, 이런 거 다 어디 갔어? 이거.

서대문 돼지국밥집

서대문 영천시장 맞은편에 있던 돼지국밥집도 도가니탕집도 모두 사라지고 그 자리에 아파트 단지가 들어서고 있다. 그늘과 어둠을 홀대하는 번지르르함이 마뜩찮다. 우리는 결국 사라지는 것들의 이름일 터인데 이 도시는 어둠을 대접할 줄 모른다. 성기게 얼기설기 엮은 까치집의 소탈함이 그나마 위안이 된다. 서대문을 지나다 예전에 써둔 글이 하나 생각났다.

장차 사돈 될 양반과 서대문 돼지국밥집에서 만나 맑은 소주 한 잔 권하며, 내 중학교 때요, 근처 염천교 부근에 지게꾼들이 즐겨 먹던 20원짜리 짜장면이 있었는데요, 맛이 그만이었죠, 하면 바깥사돈 될 양반도 골방 메주 같은 퀴퀴한 사연 몇 개쯤 풀어놓으리라. 맑은 소주 한 잔에 이미 불콰해지신 안사돈에게 따님이 어머니를 닮아 곱다고 덕담을 건네면 안사돈의 뺨은 잇몸처럼 붉어지리라. 취했우, 주책 좀 그만 떨라고 허벅지를 꼬집는 아내를 제

치고, 한번은 제가 술에 곯아떨어져 아침에 일어나 보니 웬걸 시퍼런 동해바다더라구요, 간밤 술김에 택시 잡아타고 친구들과 어깨동무하고 주문진까지 간 거죠, 라고 실없는 소리를 풀어놓으면 바깥사돈도 양말 뒤집어 신고 귀가한 얼큰한 사연 몇 개쯤 풀어놓으리라. 혈연, 지연, 학연, 출신 성분, 정치 성향, 돼지비계처럼 녹아 어둠이 되리라. 안사돈 두 양반이 후춧가루처럼 성화를 해대리라. 또록또록 어둠이 실수처럼 찾아오리라.

친구, 2011

그 시절 그 주당들

수주 변영로 선생의 알콜 이력기, '명정사십년(酩酊四十年)'에 희대의 주객들이 모였다. 라인업은 화려하다. 주도(酒道)의 명인들, 공초 오상순, 성재 이관구, 횡보 염상섭이 모여 당시 동아일보사의 편집국장 고하 송진우에게 사동을 시켜 서찰을 보낸다. 사연인즉슨 좋은 기고를 하여 줄 터이니 거금 50원만 보내달라는 것. 송진우가 흔쾌히 보내 준 거금을 들고 일행은 명륜동으로 가서 쾌음, 호음을 하며 객담(客談), 고담(古談), 농담(弄談), 치담(痴談), 문학담(文學談)을 순서 없이 지껄이다가, 소나기가 내리자 공초 오상순이 제안을 한다. 모조리 겉옷을 찢어 버리자는 것! 대취한 4명의 나한들이 겉옷을 찢어 버리고, 명륜동 언덕 아래 소나무 그루에 매어 있는 소의 등에 올라타 대로까지 진출하려다 큰 봉변끝에 장도(壯圖)는 수포로 돌아가고 만다. 괘씸하긴 해도 그 기상은 가상타. 시절이 호락호락했으니 망정이지 지금이라면 망조다. 인터넷에 신상 털리면 끝장이다.

율리시즈와 그해 겨울의 개

입김이 얼어붙을 것만 같은 혹한이 엄습하면 으레 떠오르는 장면이 있다. 홍역에 걸려 죽어 가던 개의 영상이 그것이다. 개의 이름은 '진이'였다. 부모님의 고향이 진도라서 우리집에서는 오래 전부터 진돗개를 길렀다. 진이는 우리 집에서 세 번째로 길렀던 진돗개였다. 역삼각형 두상, 실팍한 가슴, 날렵하게 말려올라간 꼬리는 영락없는 순종 진돗개였다. 사냥개 특유의 민첩함과 영민함으로 진이는 쥐들이 집 근처를 얼씬거리지도 못하게 했다. 대문을 통과하는 사람들이라면 모두들 진이의 호된 검문검색을 통과해 내야만 했다.

그 개가 어느 날 꼼짝 않고 앓아누웠다. 밥은 물론 물조차 입에 대지 않았다. 부뚜막 근처에서 식음을 전폐하고 죽은 듯 웅크리고만 있었다. 대체 며칠을 앓았을까. 거의 초주검이 되었던 진이가 어느 날 사력을 다해 일어나기 시작했다. 눈을 뜨려 했지만 이미 눈곱으로 얼룩진 눈은 아교풀을 칠한 듯 떠지지 않았다. 밖에는 한겨울의 폭설이 내리고 있었다. 제 죽음을 예감하고 있었던 것일까. 형언할 수 없는 고통의 무게를 지고 마치 골고다를 향하여 걸음을 떼는 면류관의 예수처럼 개는 힘겹게 한 발짝 한 발짝 최후의 장소를 향하여 나아가고 있었다. 나는 그때의 일을 〈그해 겨울의 개〉로 옮긴 적이 있다.

그 개는 한겨울을 불같이 타올랐다
부뚜막 곁에서 나의 근심도 개와 같이 타올랐다
물 한 방울 입에 대지 않았던 홍역의 어느 날
눈곱으로 얼룩진 눈을 치뜨며
개는 일어서려 했다
다리를 떨며 제 일생을 밀어 올리듯
뱃구레가 퀭한 몸을 가까스로 일으켰다

"놔둬라 저 놈이 제 길을 찾아가게"
어머니의 목소리가 내 어깨 위에 얹혀졌다
나와 같이 골목길을 뛰던,
흙탕의 발톱으로 내게 뛰어오르던,
돌을 던져도 등굣길의 나를 따라오던
그 누렁이의 일생이 한 걸음에 실린 듯
개는 일억 근의 걸음을 떼어
흰 목화솜 눈발 날리는 마당귀
사과나무 아래 제 몸을 눕혔다

그해 겨울, 나는 볼 수 있었다
흰 눈이 한 개의 죽음을 소리 없이 덮는 것을
한 개의 죽음이 나의 눈 안에서
뜨거운 눈발로 날리는 것을

'개'라는 단어는 늘 따스한 느낌과 함께 기억된다. 귀가의 내 발소리를 알아듣곤 내가 골목의 어귀에 들어섰을 때부터 대문을 긁으며 나를 반기던 개, 쥐약을 먹고 죽어 가던 그 개의 눈에서 쏟아지던 초록의 불빛들, 그 모든 기억의 입자들은 두뇌 속에 켜켜이 접혀진 주름의 골과 마루를 채우면서 비로소 무수한 기억의 집적체인 '나'라고 하는 자아를 형성하고 있는 것일 게다. 어떤 날 나는 그 기억 하나를 불러내 〈귀가〉라는 시를 쓴 적이 있다.

그 개는 지금 없다
내가 나타나리라는
모든 징후와 낌새를 알아차리고
내가 문 앞에 이르기도 전에
철문을 긁어 대며 울음소리를 길게 늘이던
그 개는 이제 없다

어쩌면 그 개는 내가 골목 어귀에 들어설 때부터
그리움의 꼬랑지를 바짝 치켜세우고
철문을 긁어 대고 있었을지도 모르리라 생각하며
나는 그 개의 목덜미를 쓸어 주곤 했다
그때 내 안에 무너져 오던 그 개의 눈동자와
그 개의 체온 속으로 소리 없이 녹아들던
추운 밤의 시간들
나는 그런 많은 밤들을 기억할 수 있다
그런 겨울밤들이 얼마나 흘러갔는지 모른다
그러던 어느 날 한밤중에 나는 푸른빛을 보았다
쥐약을 먹고 죽어 가던 그 개의 눈동자
푸른 불똥을 튀기며
마지막으로 내 모습을 담아내려고
혼신의 힘으로 빛나던

두 개의 눈동자

그 빛이 지상으로부터 사라져 가고서부터

나의 귀가는 얼마나 무겁고 어두웠던가

나는 비로소 내 귀가의 어귀를 밝혀 주던

하나의 별이 사라졌음을 알았다

내 발바닥이 땅바닥을 두드리는 진동에 귀 기울이며

꼬리를 치켜세우며 철문을 긁어대던 별 하나가

어둠 속으로 사라졌음을 비로소 알았다

그러나 오랜 세월이 흘러

내가 이 지상에서 마지막 호흡을 준비할 때에

사람들이 모르는 별 하나가 하늘 문을 긁어 대며

나를 다시 만나는 기다림으로 빛날 것을 생각하니

비로소 나의 귀가는 푸근한 어둠에 싸일 수 있었다

나는 《내가 사랑했던 개, 율리시즈》(로제 그르니에)를 읽으면서 "아주 어렸던 시절로부터 지워지지 않고 남은 유일한 영상들이 동물들인 것이다"라는 구절에 밑줄을 그었다. 그리고 내 속에 지워지지 않는 영상들을 떠올렸다.

이타카의 왕 율리시즈는 오랜 순항 끝에 마침내 거지로 변장을 하고 자신의 조국인 섬나라로 돌아온다. 아무도 그를 알아보지 못한다. 오직 그의 애견 아르고스만이 옛 주인을 단박에 알아본다. 이 대목을 《내가 사랑했던 개, 율리시즈》의 저자 로제 그르니에는 이렇게 전한다. "신들이 다 그렇듯이, 복수심이 강한 포세이돈이 사납게 달려들어도 끄떡도 하지 않던 율리시즈였다. 그의 눈에서 눈물을 흐르게 한 것은 오직 그의 늙은 개뿐이었다." 변장한 율리시즈는 다른 모든 인간에게는 한낱 거지에 불과했지만 오직 아르고스의 눈에서만은 한 인간이었고 주인이었던 것이다. 로제 그르니에는 자신의 개를 '아르고스'가 아닌 '율리시즈'로 명명

했다.

로제 그르니에는 마리아 릴케의 〈개〉라는 시 중 네 어절을 인용한다. “제외되지도 않고 포함되지도 않은.” 개에 대한 이만한 철학적 통찰이 또 있을까. 개는 인간의 세계 밖에 있는 것도 아니고 그렇다고 인간의 세계 속으로 확실하게 받아들여지지도 못한 어중간한 존재이다. 용변도 잘 가리고 사람의 말귀도 잘 알아듣는 것 같던 개도 때론 카페트에 범벅된 제 배설물로 야수성을 웅변하며 인간을 경악하게 하는 것이다. 로제 그르니에는 이런 사정을 두고 이렇게 통탄한다. “우리가 친근하게 말을 건네며 어울리던 상대가, 그 명민한 정신과 지혜, 어쩌면 철학에 감탄해 마지않던 그 존재가 어떻게 이 지경이 될 수 있단 말인가?”라고.

개와 관련된 그림, 사진, 시, 소설 등 풍부한 텍스트를 통해 개와 인간이 맺어 온 역사적 관계를 전달하고 있는 《개와 인간의 문화사》(헬무트 브라케르트, 코라 판 클레펜스 공저)가 소개하는 데카르트의 견관(犬觀)은 로제 그르니에의 그것과 사뭇 양상이 다르다. "'데카르트에 의하면 동물의 행동은 절대로 의식에 의해 조종되지 않으므로 순수하게 기계적인 것으로 설명되어야 한다. 다시 말해 데카르트는 짐승은 인간에 비해 상대적으로 약간 적은 이성을 갖고 있는 존재가 아니라, 이성을 전혀 갖고 있지 않으며, 신체 기관이라는 장치에 의해 작동하는 자연에 불과하다. 이는 마치 톱니와 바늘로 구성된 시계와 마찬가지라서 우리의 모든 지혜를 동원하는 것보다 더 정확하게 시간을 재고 시각을 측정할 수 있다고 주장했다. 물론 데카르트의 이런 견해는 결코 경멸적인 의도에서 나온 것은 아니었다. 왜냐하면 이 기계들은 신의 손으로 창조된 것이라서 인간이 발명할 수 있는 그 어떤 기계와 비교할 수 없을 만큼 정교하게 짜여져 있기 때문이다." 한 마디로 말해서 이성이 없는 개는 기계에 불과하다는 것이 데카르트의 주장이다. 데카르트의 주장대로라면 개에 대한 추억이나 그것을 바탕으로 한 모든 문학 작품도 낭만적 허구에 지나지 않는다.

《참을 수 없는 존재의 가벼움》(밀란 쿤데라)에서 쿤데라는 데카르트를 경멸조로 말한다. "짐승은 단지 생기 있는 기계에 불과하다고 데카르트는 말한다. 어떤 짐승이 비탄의 소리를 지를 때 그것은 비탄이 아니라 기능이 나쁜 기계 장치가 끼익하고 내는 소리다." 쿤데라의 이 소설은 까레닌이라고 하는 개와 주인공 테레사와의 지고지순한 사랑을 보여 준다. 쿤데라는 인간과 개의 사랑의 실체를 꼼꼼하게 분석한다. 인간의 사랑이란, 그가 나를 사랑하는가, 그가 나보다 어느 다른 누구를 사랑했는가, 내가 그를 사랑하는 것보다 더 그는 나를 사랑할까, 라는 질문으로 점철되어 있지만 인간과 개의 사랑이란 아무것도 바라지 않고, 아무것도 요구하지 않는 사랑이라는 것이 쿤데라의 첫 번째 분석이다. 두 번째 분석은 테레사는 까레닌을 있는 그대로 수락했고, 테레사는 까레닌을 그녀의 형상에 따라 변경시키려고 하지 않았다는 점이다. 또 하나 개에 대한 그녀의 사랑은 강요된 것이 아니라 자발적인 것이라는 점이며, 개와 인간의 사랑은 갈등이 없는 사랑이며, 가슴을 찢는 듯한 장면이 없는 사랑이라는 점이다. 그러나 한 마리 개의 죽음에 대한 사람들의 반응 양상은 천차만별이다. 개의 죽음에서 자신의 죽음의 전조를 읽어 내는 사람에게 한 개의 죽음은 통곡을 자아내기도 한다. 실제로 로제 그르니에가 그의 개, 율리시즈가 살 날이 얼마 남지 않았음을 로맹 가리에게 전하자 그는 격렬한 울음을 터뜨리며 자기 집 처마 밑으로 숨었다고 한다. 율리시즈가 떠나고 오래지 않아 로맹 가리도 죽었다. 그르니에는 말한다. "우리 셋은 서로 사랑하는 사이였으니, 한데 결부시켜 말해서 안 될 까닭은 없지 않은가?"라고. 가히 종(種)을 넘나드는 사랑의 절창이다.

'사랑은 죽음을 건너뛴다'라고 말들은 하지만 현실의 사랑은 죽음 앞에서 속수무책이다. 어린아이들은 어항 속의 물고기의 죽음을 통해, 햄스터와 다람쥐의 죽음을 통해, 개와 고양이의 죽음을 통해 슬픔을 극복하는 지혜를 터득한다. 특정의 기능을 위해 길러진 동물이 아닌 인간의 동반자로서의 동물(companion animal)의 죽음을 통해 인간은 죽음의 형이상학과 슬픔의 깊이를 배운다.

《내가 사랑했던 개, 율리시즈》의 역자 김화영의 말대로 "한 줄 한 줄 고심해서 새기며 읽을 때 비로소 마음 속 깊이 사무치는"책이다. 추운 겨울날이라면 읽기에 제 격이다. '순수한 사랑'이라는 화두를 떠올리며 그 어떤 따스한 품을 그려봐도 좋을 테니까.

식물성의 똘기

황혼의 나무, 2017

나무들의 시간

나무에 기대어 잠드는 것은 아주 오래된 지구의 역사에 참여하는 일이다. 아니, 내 심장의 일부를 지구의 역사에 보태는 일이다. 나무 밑에서 막걸리 마시다 그런 생각이 들었다. 네 생각일 뿐이라고 나무는 뻔쩡하게 서 있기만 했다.

나무의 좋은 점이라면 한자리에 빌붙어 사는 구차함을 애써 설명하지 않는다는 것.

좀스러운 것들은 제 좀스러움을 설명하려고 하다가 더욱 좀스러워진다.

나무는 그냥 견디고 막무가내로 살아낸다.

과묵한 식물성의 똘기!

여행은 얼마나 많은 나무들이 쓰다 달다 말 한마디 없이, 우비도 없이, 양산도 없이, 적막 가운데, 홀로 서 있는가를 지켜보는 일이기도 하다. 그리고 그 적막의 일부가 내 몸으로 옮겨 오는 저녁이라는 시간.

강변의 나무, 2016

새벽, 신들의 시간

새벽,

신들이 어슬렁거리고,

사람들이

조금 착해지는 시간.

새, 2011

죽은 새

오직 지워질 수 있는 것만이 하나의 풍경을 이룬다는 것을
나는 낮에 그리던 그림으로 알았다.
스밀 수 있는 것, 지워지고 무너질 수 있는 것만이 하나의 풍경을 이룩해 갔다.
지워진다는 것은 밑바닥까지 자신을 게워 내는 일,
혹은 하나의 얼룩을 자신의 폐장 깊숙이 받아 내
각혈처럼 다시 몸 밖으로 토해 내는 일이었다.
붉음은 자기를 게워 내며 분홍의 이마가 되어 갔고
노랑은 초록의 얼룩을 받아 내며 연두의 귓불이 되어 갔다.
그렇게 물감들은 자신들이 알지 못하는 거대한 몸의 일부가 되어 갔다.
나무들은 밤에도 고단하게 팔을 벌려 제 겨드랑이에 어둠을 스미게 하고,
결국은 자신을 뿌리까지 게워내며 검은 숲의 연대를 이룬다.

밤의 숲은 우리가 알지 못하는 거대한 사랑의 풍경이다.
지워져 가며 하나가 되는 서러운 몸뚱이들의 연대다.
주둥이가 작은 새들이 새벽의 숲에서 나와
제 어미의 노래를 따라 부르고,
한 번도 겨울을 나지 못해 본 여린 잎사귀들이
하늘하늘 목젖을 내밀 것이다.
죽은 새들은 나무들의 뿌리로 내려가
우리가 알지 못하는 물감으로 태어날 것이다.

추운 소리들

윗니와 아랫니를 마주 다물고 혀를 이 뒤쪽으로 내밀고 발음해 보자. '시, 스, 서, 시, 스, 서…….' 공기들이 이빨 사이로 새어나가는 소리가 들리지 않니? 그것을 치음, 잇소리라고 한다. '시월의 스산함과 서늘함'은 사람의 심장 언저리에 살고 있던 소리들이 목울대와 목젖을 거쳐 이빨 사이로 빠져나가는 소리다. 내 안의 추운 소리들이 불빛들을 찾아가는 시간의 소리.

나무들의 거처

낙엽더미 속에 깃털 몇 개 떨어져 있다. 나무에 달렸던 깃털과 새에 달렸던 나뭇잎이 떨어져 있다고 해도 되겠다. 한때 저 잎사귀들과 깃털들의 주소는 공중이었을 터이지만 시월의 어느 하루를 택해 지상의 거처로 주소지를 옮겼다. 하계(下界)로 더 내려가려고 한다면 여기서 썩어야 할 것이다.

화가 나서 입 주위가 경직된 개 한 마리가 나무에 눈을 맞추고 '나무'를 몇 번 발음하더니 이내 평상심을 되찾는다. 사람도 따라 해 볼 일 아닌가. 컹, 컹, 컹…….

개들의 시간

지붕에 오르지 못하더라도 개들은 고양이가 부럽지 않다. 부러우면 개가 아니다. 지상에 널린 쓰레기들을 해치우며 개들은 복날을 향해 무럭무럭 자란다. 오직 덜떨어진 개들만이 공중부양과 낙법을 배워 지붕의 한 세상을 꿈꾼다.

짖는 개, 2011

밤의 나무, 2015

늙은 밤

잎들이 제 몸을 까부르며 나를 부르는 것도 아닌데 어느 날은 저것들이 나를 숨이 타게 부르는 것도 같아 저녁의 한가운데서 물끄러미 저것들을 바라보기도 하는 것인데 길손을 오래 잡아두게 했던 제 열정이 민망해서일까 잎들은 어둠 속으로 저의 몸을 빠르게 지워 나가고……. 그래, 아주 늙은 밤이 오면 별들마저 그 음악을 숨겨야 하고 울음이든 사랑이든 제 몸을 필사적으로 숨겨야 할 시간은 온다.

닭, 2013

풀잎

집 앞 공터.
더위는 한풀 꺾일 기세가 아니고
풀들은 한 풀도 꺾일 기세가 아니다.
풀들은 폭염에 맞서 그 끝을 창검처럼 세웠을 뿐
달리 뾰족한 수가 없어 보인다.
그래, 바람이 와서 흔들어 주기 전까지는
가만있는 게 상책이다.
'풀'이라고 발음하면 흔들리는 느낌이다가도
'잎'이라고 발음하는 순간 오뚝 다시 서는 느낌.

밤의 항해, 2014

하염없다

'느닷없다, 어이없다. 하염없다, 부질없다, 뜨금없다'에서와 같이 '없다'라는 접사가 붙는 말은 그 어원을 종잡을 수 없을 때가 많다. '느닷, 어이, 하염, 부질, 뜨금'의 의미를 자신 있게 말하기는 쉽지 않은 일. 그 어휘들 중에서 '하염없다'라는 말은 참으로 하염없어서 그 단어를 고즈넉하게 발음하면 심장 부근에 온통 붉은 노을이 지는 느낌이다. 하염없다는 말의 하염없음이라니.

우주가 주는 위안

"이 세계는 인간의 운명에 아무 관심이 없습니다. 저는 우주에 관한 책을 굉장히 좋아해요. 사이먼 싱의 《빅뱅》이라든가 칼 세이건의 《코스모스》 같은 책에 언제나 매료됩니다. 우주에서 신성을 보는 사람도 있지만 저는 그냥 '인간이라는 것은 우주의 한 점 먼지에 불과하구나' 이런 생각을 해요. 그것은 휴머니즘의 반대편에 서 있는 것이죠. 인간이 뭔가를 할 수 있고 세계를 바꿀 수 있고 그 밖에 어떤 의미 있는 것을 할 수 있다고 생각하는 그런 분들이 계신다면 저는 그 반대에 있어요."

김영하의 에세이집 《말하다》의 이런 구절에 조건 없이 동의한다. 인간의 하찮음을 말해 주는 우주에 관한 이야기나 대멸종을 다룬 인류학이나 생물학만큼 위안이 되는 아이템도 없다. 천지불인(天地不仁), 자연은 무자비하다. 찧고 까불어 대 봐야 결국 먼지로 평등하게 돌아가는 것이다.

적색거성이란 태양과 비슷한 정도의 질량을 가진 별이 수십 배로 커지면서 밀도가 작고 표면온도가 낮아 광도가 큰 붉은 별로 변한 것을 가리킨다. 약 50억~60억 년 후 태양 역시 현재 크기보다 약 50배 커진 적색거성이 돼 지구 궤도까지 차지하게 된다는 것이 과학계의 정설이다. 물론 지구인의 운명은 길게 잡아야 30억 년 전에 끝이 난다.

천지불인이라 했으니 누군 봐 주고 누군 안 봐 주는 식이 아니라, 남녀노소, 빈부귀천 따질 것 없이 재앙은 무차별적으로 닥친다. 재앙의 규모로 봐선 부(富)로도 어쩌지 못할 상황일 듯싶다. 기술도 속수무책, 금배지도 무용지물. 어떤 로비도 통하지 않는다. 한마디로 불가피다. 지구 탄생 이래 이런 완벽한 평등은 없었으리라. 모든 숨 가진 것들이 하나로 돌아간다. 장송곡도 없이, 애도의 흐느낌 하나 없이 고요하고 고요하고 또 고요하다. 위대한 침묵의 시간이다. 문제가 있다면 그 고요가 너무도 먼 시간 후의 일이라는 것! 그날의 시간을 앞당겨 달라고 지구인들이 마음을 다하여 기도하는 수밖에 없다.

지상의 고통 속으로

사후에 염라대왕 앞에 불려 나가 지상에서 말미를 며칠 간 허락할 터이니 돌아갈 생시(生時)의 순간을 결정해 보라고 한다면 나는 서슴없이 두 개를 꼽을 것이다. 하나는 지리산 종주를 할 때 비 맞으며 장터목에서 비박하던 때와 엄지발톱이 빠지는 고통을 감수하며 마라톤 풀코스를 완주했을 때다. 두 번 다 기진맥진 죽을 둥 살 둥이었다.

염라대왕은 어찌하여 너는 가장 고통스러운 시절로 돌아가려고 하느냐고 물을 것이다. 나는 속으로 이렇게 말할 것이다. 한때 지상에 살았던 사람으로서 말하건대 어떤 종류의 고통 속에는 당신이 모르는 기쁨이란 것이 있더라. 나는 그 즐거운, 지상의 고통 속으로 돌아가고 싶다.

나무의 정령, 2014

검은 소

며칠 전 잠이 깰 무렵 천장의 해당화 벽지 속에서 한 마리의 검은 소를 보았다. 눈을 부비고 다시 보아도 분명 소의 얼굴이었다. 점심때 식당에서 밥을 먹고 나오는데 검은 소가 풀밭에서 풀을 뜯고 있었다. 집에 가서 밥을 먹자고 하니 검은 소는 내 집은 여기라며 풀만 뜯었다. 검은 소는 해가 질 때까지 계속 풀만 뜯었다. 풀만 뜯는 검은 소 곁에서 어두워지는 천장을 바라보니 거대한 하늘의 벽지 속에는 검은 소가 없었다. 내가 본 것은 해당화와 해당화 사이의 빈 공간의 얼룩이었다. 다시 봐도 그것은 얼룩이었지 검은 소가 아니었다. 너무 일찍 잠이 깬 새벽, 다시 잠을 이루려 했지만 풀을 뜯던 검은 소의 눈동자만 해당화 사이에 가득했다.

험로, 2013

오직 나는

무엇을 하려다 이렇게 된 것이 아니라 어찌하다 보니 이렇게 됐다.

대부분의 경우가 이런 식이다.

사소한 우연에 기대지 않고서는 나를 넘어설 도리가 없다.

부장

한 인간의 인성은 원하든 원치 않든 물질세계에 흔적을 남긴다. 산 지 얼마 되지 않아 뒤축이 구겨진 신발이나, 손목에 찬 지 몇 년이 지나도록 흠 하나 없는 시계가 주인의 품성을 잘 말해 준다. 옷과 자동차, 실내 장식과 사무실의 책상, 심지어는 쓰레기마저 한 사람의 인성을 추론하게 해준다. 그가 손으로 쓴 육필의 흔적이 남아 있는 수첩은 말할 것도 없다. 한 사람과 관계하고 있는 이 모든 사물의 총체가 실은 그 사람의 정체성을 규정하는 것인지도 모른다.

한 사람을 잃는 것은 그와 관계된 이 모든 사물을 잃는 것이다. 그가 쓰던 사물들은 그대로 있는데 그 주인은 없는 세상, 비극은 아주 일상적인 어떤 것이다. 어떤 이들은 그 물건을 태워 버리기도 하고, 어떤 이들은 죽은 이의 무덤 속에 같이 묻어 주기도 하고, 어떤 이는 물건들을 고스란히 껴안고 살기도 한다. 흔적은 도처에 남는다. 그가 먹고 난 그릇, 그가 신던 신발, 그가 읽던 책,

그것들을 모아 그와 함께 묻어 주는 부장은 6만 년의 역사를 지녔다. 온전한 부장을 위해선 실로 거대한 무덤이 필요할지도 모르겠다. 그가 바라보던 밤하늘을 같이 묻어 주어야 할지도 모른다면.

귀가, 2016

지진

땅이

아무리

우리를 흔들어 대도

돌아가 다시

그 땅에

누울 수밖에.

시선, 2011

고양이에게

수염 난 고양이들아
잠자는 호랑이의 코털만 건드리지 않는다면
너희들이 무엇을
해도 좋아

식탁 위의 촛불을 훅 불어 끄고
고등어를 물고 살짝
뛰어올라도 좋아

거만하고 살찐 소파의 엉덩이에
X자의 손톱자국을
내어도 좋아

액자 속의 강변에

샛노란 오줌을
갈겨도 좋아
설령 주인을 비방하는 불온 삐라를
천방지방 거리에
뿌려도 좋아

단, 저 잠자는 강아지들의 밥그릇에 손을 대어선 안 돼
설령 그것이 식은 밥 부스러기일지라도
그 밥은 강아지의 꼬랑지를 흔들게 하는
무적의 힘이야

식구들로 하여금 삐걱이는 복숭아뼈를 추스르게 하고
저녁의 귀가를 서두르게 하는
강철의 힘이야

그 꼬리의 힘으로
그 사랑의 힘으로

나비들은

우리들이 모르는 꿈의 세계로
사뿐사뿐 걸음마를 할지도 몰라

꽃 보고 덜렁거리는 나비의 마음이
흔들리는 강아지 꼬리의 이름이야

네 눈 속의 불로, 불 속의 혀로
그 이름을 읽으렴
그 마음을 핥으렴

졸업식 행사에 넣을 축시를 쓰라는데 왜 그걸 교사가 쓰나. 랩을 기가 막히게 잘하는 아이가 이걸 랩으로 불러 준다면 기꺼이 듀오로 나서 보겠다. 식장이 좀 어수선하겠지만 식장이 반드시 엄숙해야 하는 건 아니니까. 살찌고 거만한 소파들이 싫어하겠다.

화학자

실험실에 장식품 따윈 필요 없어, 사냥의 이력을 과시하려는 순록의 뿔 따윈 필요 없어, 실험실에서 새빨간 넥타이나 흔드는 금붕어 따윈 기르지 않아, 제 목소리를 베껴 먹는 앵무새들에게는 재갈을 물려, 껌을 씹듯 줏대 없이 '좋아요'를 연발하는 네일아트 아가씨는 일찌감치 잠이나 주무시라고, 어떤 불이 푸른 불꽃 속에서 현자의 돌을 만들어 내는지, 유황의 지옥에서 어떻게 황금의 삼각형이 만들어지는지, 지상을 벗어나려 했던 수소의 꿈은 무엇이며, 지하 세계로 가라앉은 납의 우울은 또 무엇인지, 벤젠의 눈물로 어떻게 슬픔의 얼룩이 말끔하게 지워지는지, 철의 심장에서 어떻게 과묵한 굴뚝새 한 마리를 꺼낼 수 있는지, 고래로 연금술사의 꿈이란 위대한 원소들의 소문과 전설이었으니, 물질의 혼돈으로부터 동방의 별을 찾아내지 못한다면 차라리 저 투명한 유리병 속에서 얼빠진 구름을 꺼낼지언정 한낱 원숭이들의 항문 따윈 들여다보지 않아.

눈물, 눈물

안경이 눈에 걸려 있지 않았다.
이곳저곳을 찾았으나 안경은 없었다.
마지막 마셨던 주점 앞에 가 보니,
눈밭 위에 안경은 떨어져 있었다.
혹한의 칼바람 속, 눈 위에 떨어진 눈.
내 몸의 허술한 갈피에서 흘러나갔을 눈을 집어 들고
이미 설원이 되어 버린 렌즈를 입김으로 불자,
미지근한 물이 흘러내렸다.
눈물인가, 눈물인가.
눈에서 흘러내리는 물,
내 몸에서 흘러나왔을 모든 물들도
어쩌면 당신들의 입김이
내게 닿았던 흔적일지도 모른다.

수국

수국이 피어 있는 산길로 걸어가는데 맥문동 한가운데서 어떤 장님이 휴대폰을 빌려달라기에 빌려줬다. 그는 고맙다며 이탈리아 여행권을 줬다. 좋아라고 휘파람을 불며 산길을 걷는데 사람들이 장님은 나쁜 사람이라며 여행권으로 비행기를 접어 날리고 있었다. 나는 종이비행기를 타고 장화처럼 생긴 이탈리아 반도를 지나 산토리니 해변으로 갔다. 장님이 준 여행권이 손에 꼭 쥐어 있었다. 바다에 오줌을 쌌더니 오줌이 파랬다. 맥주를 많이 마시고 잔 탓이다.

건장한 사내, 2015

조문

시간은 몸으로 와서 몸으로 가는 것이니,
뜨거운 대낮의 시간 매미의 울음을 빌어
네가 한번 크게 울고 갔다고 생각하마.
식어 버린 그릇의 물을 가득 마시고
아주 오래된 길을 갔다고 생각하마.
신발이 행여 제 주인을 그리워하는 노래를 부르더라도
뒤돌아보지 마라.
뒤돌아보면 시간은 온통 시퍼런 눈보라가 된다.

그냥, 여기

어딘가에 근사한 내 삶이 따로 있다고 생각하는 사람, 자신을 천상에서 유배된 신선쯤으로 여기는 사람에게 삶은 구질구질하고 비리척지근하다. 삶이 시들시들할수록 그들은 더욱더 삶, 너머를 그리워한다. 삶, 너머란 있지도 않은 옛날일 수도 있고, 가보지도 않은 이국일 수도 있다. 그들에게 현실은 다만 잠깐의 경유지에 불과하고, 언젠가는 떠야할 '바닥'에 불과하다. 그들에게 있어서 불우(不遇)란 선택된 백성에게 따르는 시련일 뿐이다. 그들은 열심히 바닥의 삶을 배반하고, 진귀하고 세련되고 찬란한 것들을 선망한다. 그들에게 있어서 과거는 필요 이상으로 미화된다. 언제나 지금 여기의 삶보다는 그때가 더 나았을 것이라 지레짐작한다. '있는 것'을 있는 그대로 받아들이기보다는 '없는 것'을 반드시 '있어야 할 것'으로 생각한다. 그럴 때 삶은 너저분해진다.

여기가 아니라면 어디든 좋다라는 로맨틱한 충동도 따지고 보면 일종의 유배(流配) 의식이다. 〈미드나잇 인 파리〉에서 우디 알

렌은 '황금시대여 안녕'이라고 말하는 듯했다. 온갖 그럴싸한 신화, 약간의 구라빨이 섞인, 누가 그랬다더라 하는 영웅담과 비밀스러운 아우라, 이런 것과 거리를 두고 현실 속으로 뚜벅뚜벅 걸어 들어간다. 거기에 아내라고 불리기보다는 마누라라고 불릴 때 더 어울릴 초로의 아내가 있다. 더 근사한 무엇이 따로 있는 게 아니라, 그냥 여기, 이곳일 뿐이다.

받으시라, 쓸모없는 아름다움을

셰익스피어의 리어왕은 100명의 수행원만 남기고, 두 딸에게 영토를 물려준다. 그런데 큰딸은 100명을 절반으로 줄이라고 하고, 둘째딸은 또 절반으로 줄이라고 한다. 심지어 큰딸은 수행원 한 명도 필요 없다고 말한다. 리어왕은 분노한다.

"오, 필요하고 안 하고를 논하지 마라! 가장 미천한 거지도 자기가 가진 보잘것없는 것이나마 여분을 갖는 법이다. 자연이 인간 본성에 필요한 것 이상을 허락지 않는다면 인간의 삶은 짐승만큼 비천할 것이다. 우리가 존재하기 위해서는 쓸모없는 약간의 여분이 필요하다는 것을 너는 알아야 한다. 꼭 필요한 것만 따진다면 따뜻한 옷도 사치고, 네가 입고 있는 그 화려한 옷들도 사치스러운 것들이다."

세상에는 얼마든지 꽃보다 아름다운 꽃병이 있을 수 있다. "기능을 넘어 사치로, 필요를 넘어 잉여로." 예술의 존재 이유를 알리는, 저 꽃병의 목소리가 들리시는지. 옷이라면 입을 수도 있고 떡이라면 먹을 수도 있겠지만 입을 수도 먹을 수도 없는 꽃을 바치는 것은 단지 아름다움 이외에는 어떤 쓸모도 꽃에게 없음을 잘 알기 때문이다. 아름다움이라는 아무짝에도 쓸모없는 쓸모를 받으시라고…….

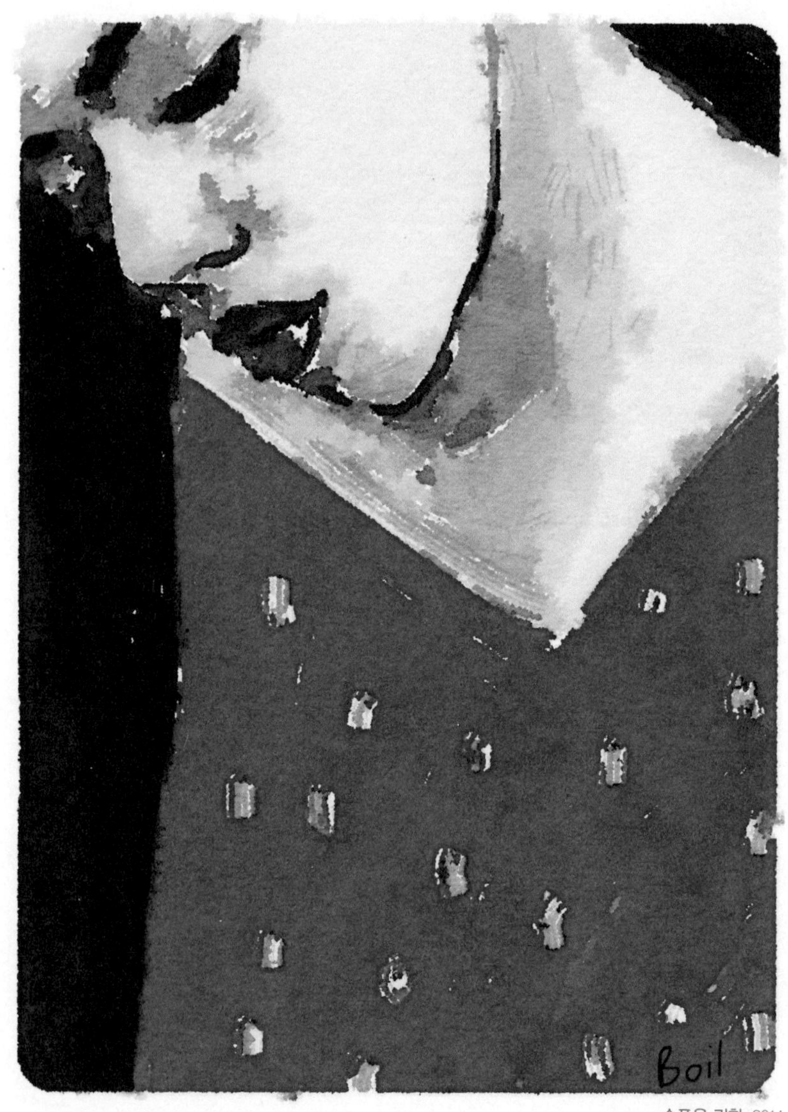

슬픔을 권함, 2014

아름다움의 과잉, 아름다움의 빈곤

아름다움에 대한 기대로 고통을 참고, 고통에 비용을 기꺼이 지불한다는 점에서 성형이나 예술이나 무슨 차이가 있느냐는 논리는 전형적인 기계식 비유의 오류다. 성형은 큰 키와 슬림한 몸매와 큰 눈, 오똑한 코를 지향하지만 예술에 일반적 지향은 없다. 예술이 째진 눈, 부릅뜬 눈, 늙고 처진 눈, 튼 살과 심지어 병적인 형상마저 지향한다는 것을 자본 지향적인 사람들은 잘 이해하지 못한다. 노래나 그림은 유일무이한 하나의 형상을 지향한다. 너라는 이름으로 세계에 널려진, 무엇으로도 대체할 수 없는 형상들……. 그것이 예술이 불온할 수밖에 없는 이유가 아닐지. 아름다움의 과잉이 오히려 아름다움의 빈곤을 역설적으로 드러내는 세상에서.

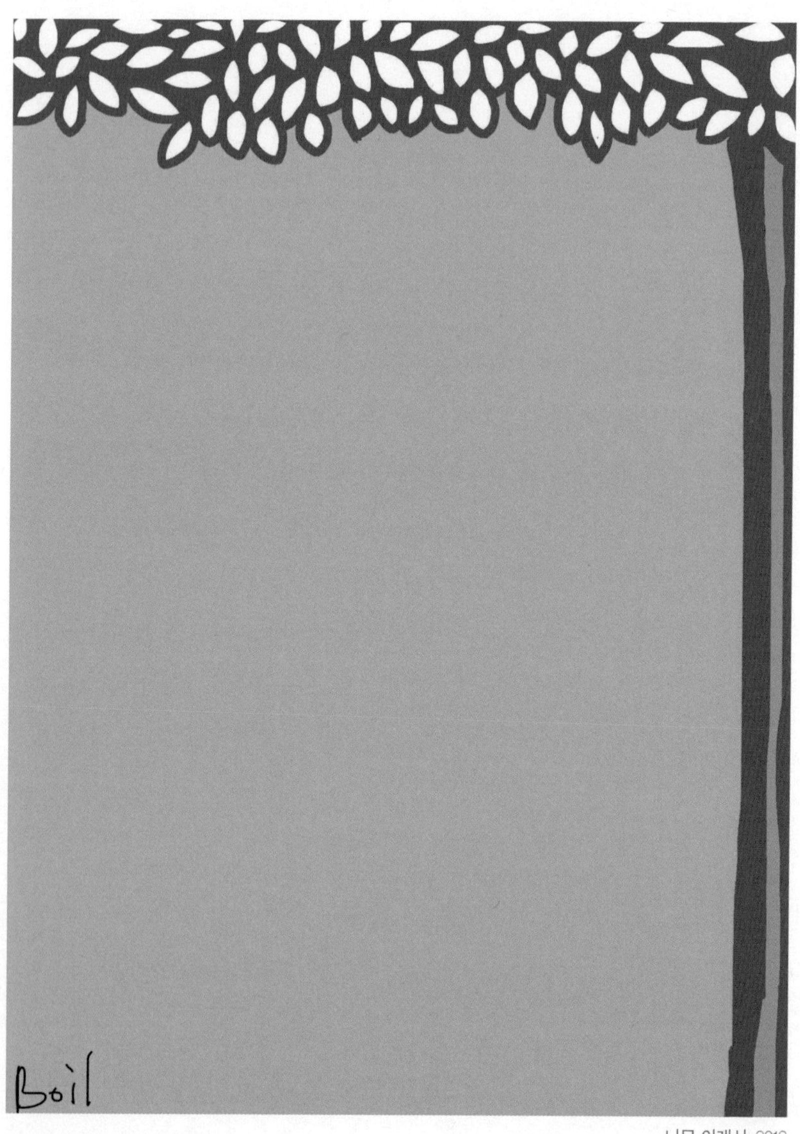

나무 아래서, 2016

나의 나무 아래서

이 말도 안 되는 모자간의 대화에는 이상한 감동이 있다.

"엄마, 난 죽는 거야?"

"난, 네가 죽지 않을 거라고 생각해. 죽지 않도록 기도하고 있어."

"의사 선생님이 '이 아인 죽을 겁니다, 더 이상 어쩔 수도 없어요' 하고 말씀하셨는걸. 그렇게 들렸어. 난 죽을 건가 봐."

어머니는 잠시 동안 가만히 계셨습니다. 그리고 나서 이렇게 말씀하시는 것이었습니다.

"만약 네가 죽더라도 내가 또다시 널 낳아줄 테니까, 걱정하지 마."

"……그치만 그 아이는 지금 죽는 나와는 다른 아이가 아닐까?"

"아니야, 똑같아. 내 몸에서 태어나서 네가 이제껏 보고 들었던 것들과 읽은 것, 너 자신이 해 왔던 일들 모두를 새로운 너한테 이야기해 줄 거야. 그러면 지금 네가 알고 있는 말을 새로운 너도 사용하게 될 테니까 두 아이는 완전히 똑같아지는 거야."

오에 겐자부로의 소설 《나의 나무 아래서》의 일부다. 이런 엉터리 논리를 아주 진지하게 말할 수 있는 사람들은 너무 늙었거나 이 세상 사람들이 아니다.

간밤에 비가 와서인지 아침 공기가 서늘하다.

달팽이 식당

달팽이 식당에서 감자튀김을 주문하면 빨간 화분 속의 금전수의 잎이 누레질 때까지 기다려야 하네 병 속에 담가 둔 양파에서 하얀 수염이 다 자랄 때까지 기다려야 하네 그러나 달팽이 식당 벽에 걸린 물고기의 화석처럼 아무도 투덜거리는 사람은 없네 화석은 모든 늙은 시간의 양로원, 젊고 싱싱한 달팽이들이 축축한 혀를 말아 프렌치키스로 서로를 탐닉하는 동안 노인들은 안경을 코끝에 걸치고 까닥까닥 조는 흉내를 내네 아마씨나 포도씨의 기름이 감자의 속살을 자글자글 간질이는 시간, 내 젊음도 저렇게 느리게 흘러갔다고 맥주 거품 같은 창밖의 구름 속으로 노인들은 짧은 여행을 떠났다 돌아오네

고통은 고통이다

"내가 태어난 날이여, 차라리 사라져버려라. 사내아이를 배었다고 하던 그 밤도 사라져 버려라. 그날이여, 어둠에 뒤덮여 위에서 하느님이 찾지도 않고 아예 동트지도 말아라."

도적 떼에게 소와 나귀를 약탈당하고, 벼락으로 모든 양이 죽고, 일꾼들도 죽고, 집이 무너지는 사고로 일곱 아들과 세 딸마저 잃고 아내마저 욥의 곁을 떠났을 때 욥이 부르짖던 말이다. 고통은 욥을 놓아주지 않는다. 온몸에 부스럼이 나서(통증보다 더 지독한 참을 수 없는 가려움) 욥은 재 위에 앉아 기왓장으로 제 몸을 긁는다. 죄 없는 사람을 참담한 고통 속으로 몰아넣는 신에게 항변하는 욥. 이 비극적인 텍스트에는 사람을 따뜻하게 감싸고 위로하는 힘이 있다. 고통은 죄의 결과도 아니고, 고통에는 아무런 이유가 없다는 것. 욥기는 말한다. 고통은 고통이다. 그게 다다.

수용소에서의 유희의 언어

프리모 레비의 아우슈비츠 수용소 체험기 《이것이 인간인가》는 텍스트가 인간의 삶에서 어떤 의미를 가지는가를 여러모로 생각하게 한다. 수용소의 입구에는 '노동이 자유케 하리라'라는 텍스트가 걸려 있다. 이것은 거짓과 기만, 착취의 텍스트다.

그러나 그리스 출신의 유태인들이 부르는 노래 "내년에는 집에 갈 수 있을 거야, 굴뚝을 통해서 말이야"라는 텍스트는 죽음과 절묘하게 화해한다. 화장(火葬)이라는 직설적 언어를 피하고 '굴뚝을 통해서'라고 비유적으로 말하고 있는 것은 죽음을 가리기 위한 장치다. 그러나 텍스트는 죽음을 온전하게 가리지 못한다. 그 텍스트는 죽음을 유예하고 싶은 욕망과 살고자 하는 안간힘이 가까스로 만들어 낸 모순의 언어, 유희의 언어다. 절망의 심연에서 저런 언어를 만들어 낼 수 있는 존재, '이것이 인간'인지도 모르겠다.

동물원의 김 씨

점심시간이 가까울 무렵 영장류 전문가인 동물원 김 씨는 점심을 먹으러 구내식당으로 간다. 지금쯤 부지런한 다람쥐원숭이들은 제 집의 운동장을 스무 바퀴는 돌았을 것이고, 점심을 달라고 철조망을 콩콩 쳐 댈 것이다. 하지만 게으름뱅이 하울러원숭이는 거북이가 울든 얼룩말이 지저귀든 어떤 소음에도 귀를 닫고 오후까지 늦은 잠을 잘 것이다. 영장류인 아이들의 손에서 너풀거리는 빨간 풍선 속의 수소 가스는 호시탐탐 풍선을 공중으로 날릴 생각을 하지만, 설령 풍선이 아이의 손을 빠져나가 동물원의 지붕 위로 솟을지라도 호랑이의 식욕이 호랑이의 잘못이 아니듯 그것은 수소 가스의 잘못은 아니다. 홍학은 외다리로 서서 물을 마시고 낙타들의 눈썹은 모래가 없어도 느리게 꿈벅인다. 김 씨는 생각한다. 풍선을 공중으로 솟게 하는 수소 가스의 힘, 제 무덤을 등에 지고 모래 언덕을 걸어가는 낙타의 힘이 나의 수저를 움직이게 하는구나.

식곤증이 밀려오는 시간, 야행성 동물관에서 이구아나가 어두운 침대에 눕고 싶다고 빛나는 것들을 삼키고 있다.

동물원, 2011

고양이, 2015

고양이

미셸 투르니에의 《생각의 거울》에서 장 콕토는 자기는 개보다 고양이를 더 좋아하는데, 그 이유는 경찰 고양이를 본 적이 없기 때문이라고 말한다. 그렇다. 고양이는 명예를 걸고 인간 생활의 그 무엇에도 도움이 되지 않기로 작정한 동물인 것 같다. 양치기 고양이라든지, 사냥 고양이, 장님 길잡이 고양이, 서커스 고양이, 썰매 끄는 고양이는 없다. 있다면 집에서 꾸벅꾸벅 졸거나, 새 가죽 소파를 물어뜯어 반값으로 만들어 버리는 못된 고양이밖에 없다. 효용과 기능을 중시하는 자본주의적 마인드와는 거리가 먼 동물이 고양이다. 쥐가 넘쳐 나던 시절에는 어땠는지 모르겠지만 현대적 위생 시설로 구색을 갖춘 주방이나 창고에서 쥐를 찾아보기 어려운 지금, 고양이는 쓸모와는 거리가 멀어도 한참 먼 짐승이다. 잠자다, 하품하다, 발바닥을 핥다, 가죽 소파를 물어뜯다, 녀석은 철철 남아도는 시간을 어떻게 소일할까에만 골몰하는 눈치다. 작은 위를 가지고 태어났으니 먹이를 위해 '진흙 속의 개싸움'을 하지 않아도 된다. 밥그릇을 두고 벌이는 싸움이야말로 더럽고 치사한 치욕의 입구가 아니었던가.

귀족도 이런 귀족이 없다. 사는 게 무료하다 싶으면 가출도 가볍게 한다. 가고 싶으면 가고 머물고 싶으면 머무는 게 고양이다. 고양이에게는 지켜야 할 가정이라는 게 없다. 죽어라고 집밖에 모르는 개와는 딴판이다. 모셔야 할 상전도 고양이에겐 없다. 상명하복의 위계질서는 개의 덕목이지 고양이의 덕목이 아니다. 녀석은 태생적으로 자유주의자요 무정부주의자다.

시스템과 권력의 요구나 명령을 소 닭 보듯해야 한다는 것, 위험과 불편을 일상의 감각으로 가볍게 받아들일 수 있다는 것, 허기와 피로를 두려워하지 않아야 한다는 것, 프리미어 리그의 구단주들이 내미는 계약서에도 그러거나 말거나 담대해야 한다는 것, 선배, 형님 하는 식의 자질구레한 관계들을 훌쩍 뛰어넘을 수 있어야 한다는 것, 야들야들한 인정주의에 매몰되지 말아야 한다는 것, 들고양이가 갖추어야 할 필수적 자질이다. 뒤돌아보지 않고 표표히 떠나려면 짐도 줄이고, 체중도 좀 줄이고, 취미나 기호품에 얽매이지 않으려면 입맛도 좀 담백하게 개선할 필요도 있을 듯. 이건 들고양이 문제만은 아니겠다.

고양이가 개보다 가출을 자주 하는 이유는 간단하다. 고양이는 육식 동물이라 인간과 먹이를 달리하지만 개는 인간 같은 잡식성이라 인간과 먹이를 공유하기 때문이다. 개는 인간의 먹이에 연연하지만 고양이는 인간의 먹이에 연연하지 않는다. 고양이에게 인간의 먹이쯤은 없어도 그만이다. 인간에 대한 개의 충성심은 개의 먹이에서 오고, 인간에 대한 고양이의 쿨함은 고양이의 먹이에서 온다. 세인들과는 다른 식성과 취향을 개발하는 것이, 빽빽하고 따분한 세상으로부터의 독립 요건이랄 수도 있겠다.

고양이의 가뿐한 보행을 보고 있노라면 '유유자적'이란 단어가 마치 이 녀석을 위해 준비된 것 같다. 도대체 녀석은 바쁠 줄을 모른다. 비즈니스와는 아예 담을 쌓고 지내기 때문이다. 처리해야 할 공문도 없고 결재해야 할 문서도 없다. 마감에 쫓기는 원고도 없다. 있다면 무료한 하품과 쏟아지는 졸음뿐이다.

세상에 '개고생'이란 말은 있어도 '고양이 고생'이란 말은 없다. '개팔자가 상팔자'라지만 정작은 '고양이 팔자가 상팔자'다. 쥐를 잡으라고 닦달을 하나, 토끼를 뒤쫓으라고 닦달을 하나, 도둑이나 마약 밀수범을 찾아내라고 닦달을 하나, 세상일로부터 초탈한 이 녀석의 팔자를 보고 있으면 은근 부아가 나기도 한다. 더구나 전국에 보신탕집은 즐비하지만 고양이 고기를 선호하는 식도락꾼은 없다. 〈톰과 제리〉에서 영악한 쥐새끼 제리에게 고생을 좀 하긴 하지만 그래도 고양이 팔자만 한 것이 없다. 고양아, 너 참 좋겠다. 부럽다!

농담

저 항아리들을 뒤집어 눌러쓰면 두 개의 멋진 모자가 될 것이다. 아름다움을 이기지 못하는 무거운 머리가 네 쪽으로 한 번 휘청할 것이다. 잉크가 웃음처럼 새어나올 것이다. 개들이 컹컹 짖을 것이다.

아름다운 그릇, 2013

구석, 2014

구석에서

벽과 다른 벽이 만나는 곳은 모서리나 모퉁이다. 모서리나 모퉁이란 단어는 돌출되어 당돌한 느낌이라면 같은 대상의 다른 면을 지칭하는 '구석'이란 단어는 은밀하고 겸손하다. 집구석이 왜 이래, 라는 말에서처럼 구석이란 말은 부정적인 단어들과 결합하기 일쑤다. 하지만 솜솜 뜯어보면 구석이란 말처럼 착한 단어도 드물다. 디아스포라(Diaspora)의 삶을 살고 있는 부유하는 먼지들이 피곤한 몸을 안착할 수 있는 곳, 심약한 자들이 세상에서 떨어져 나와 책의 갈피 속으로, 혹은 저의 내면으로 스며들 수 있는 곳이 구석이다. 구석은 적극적으로 만들어지고 추구되어야 할 그 무엇이다. 너무 강렬한 빛은 외곽이나 형체에 집착하게 하기 때문일까. 지나치게 밝은 조명은 구석의 적이다.

침묵, 2013

까뮈의 호텔방

《작가 수첩》에서 카뮈는 장식도 없는 밋밋하기 그지없는 호텔 방에 머물기를 좋아했고, 사막에 텐트를 치고 며칠 동안 머물기를 좋아했다고 고백한다. "굶주림처럼 무엇인가가 내 마음속에 깊은 공허를 만들어 놓는 호텔 방"이라고 카뮈는 표현하고 있다.

비어 있는 의자는 무엇인가를 채워 넣어야만 할 공백이 아니다. 어떨 때 공허는 공허 그 자체로 충만한데도 무엇인가를 채워 넣어야 직성이 풀리는 사람들이 있다. 그들은 침묵을 결핍이라고 생각해서 무엇으로든 침묵을 채워 넣어야 한다고 생각한다. 좋은 관계는 공허와 침묵이 어색하거나 불안하지 않은 관계일 것이다. 서로의 모서리가 둥글어질 만큼 세월이 무심히 흘러 주어야 할 것이다.

아들에게

어떤 사람의 행동에 대해 화가 났다고 했을 때, 왜 그가 그런 행동을 했는지 전후 사정을 누군가가 차근하게 해명해 주면 '화'라고 하는 감정은 슬며시 누그러지기도 한다. 감정은 그렇게 줏대가 없다. 그러나 배고픔과 성욕은 사뭇 다르다. 설명도, 해명도, 논리적 설득도 필요 없다. 무엇인가로 공허를 채우지 않으면 수그러들지 않는, 위장과 성기의 욕망 앞에서 인간은 의연하게 신의 흉내를 낼 수 없다. 배고픔이 관아 창고 하나 아작 내는 것은 일도 아니다. 아들아, 무소유와 해탈을 바라지 않겠다. 잘 먹고, 잘 짝짓고, 그러길 바라겠다.

나치의 휴머니즘

담배를 폐암의 원인으로 지목한 사람들은 나치의 의학자들이었고, 세계 최초로 공공장소에서 흡연을 금하는 법을 제정한 이는 히틀러였다. 담뱃갑에 흡연이 암을 유발할 수 있다는 경고문을 넣을 생각을 한 이도 히틀러였다. 나치 정권하의 독일 국민들에게 운동을 하고, 야채를 섭취하고, 술 대신 미네랄워터를 마실 것이 권장되었다. 동물을 학대하거나 괴롭히는 것을 방지하자는 동물보호법을 제정한 이도 히틀러였다. 나치 정권하에서는 새우도 물에 삶을 수 없었다. 왜? 새우가 고통스러워하기 때문이다. 나치의 휴머니즘은 딱 거기까지였다. 집단의 광기가 타자를 보는 눈을 멀게 한 것일까. 그들이 걱정한 것은 게르만 민족의 허파와 새우의 고통이었지, 타자의 허파와 고통이 아니었다. 나치는 사람들의 천국이 아니라 개새끼들의 천국이었다.

지금 이곳은 누구의 천국인가.

불확실성 속으로

실험용 상자의 레버를 정확히 세 번 누르면 먹이가 나오도록 상자를 설계하면 쥐들은 태만해진다. 레버를 세 번 누르면 먹이가 나온다는 규칙성과 확실성이 쥐들을 매우 보수적으로 만들기 때문이다. 세 번을 누르면 먹이가 나올 때가 있지만 그렇지 않을 때도 있게 레버를 불확실하게 설계하면 쥐들은 불안해진다. 그러나 스스로 미래를 통제할 수 없다는 불안과 불확실성이야말로 즐거움과 쾌락이 활짝 피어날 수 있는 토대다. 영화 속의 카메오처럼, 예기치 않았는데 돌연 튀어나오는 돌발성, 탕자의 느닷없는 귀환이야말로 인생의 커다란 선물이고 즐거움이다.

삼척동자라도 해법을 빤히 알 수 있는 문제를 풀어 놓고 환호작약하는 사람은 없다. 확실성은 안도감의 토대일지 몰라도 기쁨의 토대는 아닌 듯하다. 2미터 높이의 수평 바를 과연 뛰어넘을 수 있을까, 불확실성 속에서 호흡을 가다듬으며 목표물로 치달려가 그것을 뛰어넘었을 때, 높이뛰기 선수의 기쁨은 63빌딩 높이에 달한다.

확실성에 대처하기 위해서는 감정이 필요 없다. 감정은 불확실성에 대처하기 위해 설계되었다고 봐도 무리가 아니다. 혹시 그녀가 나를 좋아할지도 모른다는 착각, 반신반의의 불확실성 속에서 사랑의 감정은 최고조에 달한다. 만날지 못 만날지 알지 못하면서 무조건 그녀의 집 앞에서 기다리고 보는 연인의 무모함은 감정을 활성화시키는 무식하긴 하지만 가장 현명한 방법이기도 하다. 존재는 소유에 반비례한다던가. 결혼이라는 확실한 소유는 불확실성의 기쁨을 반감시킨다. 불확실성이 감정을 활성화시키지 않는다면 쥐들은 뚱뚱한 보수주의자가 되고 말지도 모른다. 불안이 행동을 낳고, 행동은 다시 감정을 낳는다.

가끔은 네비게이션 없이 길을 나서보는 것도 괜찮을 듯하다. 시스템이 안내하는 곳으로만 가란 법은 없으니까. 비밀이 없이는 행복도 없다는 장 그르니에의 말을 위험이 없으면 행복도 없다로 살짝 비틀어 본다.

불확실성 속으로 길을 나서라고 폭우가 부추기는 시간이다.

아침, 2017

무위의 정치

안경은 물론 손톱깎이나 병따개, 볼펜만 없어도 허둥대는 것을 보면 인간은 자족하기 여간 힘든 존재가 아니다. 도구들이 순조롭게 작동되고 있어 아무런 문제를 일으키지 않을 때 도구는 마치 세상에 없는 것처럼 인식된다. 용변을 보는 어떤 사람도 변기를 의식하며 변기에 앉지 않는다. 문제는 변기가 막히고, 형광등이 깜박거리고, 안경알이 깨졌을 때 도구가 도구로서의 기능을 제대로 하지 못할 때, 도구는 비로소 우리의 눈에 띈다. 제발이지 정치가 국민들의 눈에 띄지 않기를 바란다. 다스리지 않는 것 같은 다스림, 무위의 정치라는 것이 그런 것인지도 모르겠다.

거룩한 분노

어떤 학자가 말했다.

"플라톤이 그랬죠. 티모스(thymos) 교육에 이상 국가의 성공이 달려 있다고. 티모스는 기개 혹은 기상으로 번역되며, 불의에 대해 느끼는 공중으로서의 분노, 공분(公憤)을 뜻합니다. 시민이 된다는 것은 공분을 가진다는 것입니다. 분노의 연대가 필요한 시점입니다."

어떤 시인이 말했다.

"거룩한 분노는 종교보다도 깊다."

그들, 학자와 시인이 틀렸다는 말이 아니라 어떤 분노는 그 자체로, 그 즉시로 옳다. 그것도 빛의 속도로 옳다. 이성이 꼼지락거릴 때 분노는 언어의 가죽을 찢고 빛의 함성으로 달려온다. 어떤 귀싸대기에는 이미 준엄한 도덕이 담겨 있다.

쇼핑으로 돌아가라?

9·11 사태가 발생한 다음 날, 조지 부시가 미국민들에게 권유한 최선의 행동 수칙은 바로 이것, '쇼핑으로 돌아가라'는 것이었다. 슬픔과 충격을 떨치고 시장으로 가라는 것. 일상으로 돌아가라는 것. 쇼핑은 부시가 선택한 애도의 방식이었다.

꼭 필요하지도 않은 불요불급한 물건을 반드시 필요한 물건, 필수품인 양 착각하게 만드는 전문가는 다름 아닌 쇼핑호스트들. 그들은 도대체 막힘을 모른다. 어눌함을 모른다. 얼굴엔 일체의 그늘이 없다. 그들의 표정은 한밤의 편의점처럼 환하다. 게다가 그들이 쓰는 어휘는 도대체가 시골스럽지 않다. 난 '세탁해서 물이 빠진 푸른색'을 '워시드 인디고(Washed Indigo)'라고 부른다는 것을 쇼핑호스트로부터 알았고, 구기자의 핵심 성분이 '베타인'이라는 사실도 알았다. 브라운 색깔 중에도 '애쉬 브라운'과 '카키 브라운'이라는 색깔이 있다는 것도 쇼핑호스트로부터 알았다. 소비자의 욕망을 세분화하겠다는 차별화 전략이라고 분석하는 사람도 있겠지만, 어쨌든 쇼핑호스트들은 나의 감각을 섬세하게 하는 위대한 교사다.

쇼핑호스트들은 '엣지 있다', '슬림하다', '스펙 최강'이라는 식의 이국적 단어를 적절하게 사용하여 마치 그들이 권하는 아이템들이 내 삶을 이국적으로 업그레이드시켜 주고 있다는 착각을 불러일으킨다. 홈쇼핑의 언어는 지방의 언어가 아니다. 일용엄니 김수미나 〈전국노래자랑〉 송해가 게장이나 돌산갓김치, 노인 의료기구를 판매하는, 일부의 경우를 제외하고는.

그들이 파는 코트나 핸드백은 촬영 세트장에 놓여 있다. 촬영 세트장은 무균질의 공간이다. 은근한 조명과 세련된 음악이 있을 뿐 거기엔 빨래 건조대나 어지러운 싱크대나 부스러진 빵 조각들이 널부러진 식탁이 보이지 않는다. 거기엔 된장찌개 냄새도 없다. 거기엔 보는 이의 마음을 심란하게 만드는 '카드 이용 대금 명세서'도 보이지 않는다. 도드라져 보이는 것은 '무이자 십 개월'이라는 문구요, 미소를 짓고 있는 피팅 모델의 잘록한 허리요, 샤방샤방한 피부요, 그들이 권하는 푹신한 소파에 앉으면 밀려올 것만 같은 행복감이다.

쇼핑호스트들은 말한다.

부시가 맞다. 쇼핑으로 돌아가라. 가서 클릭하라.

행복을 원하는가.

네 삶의 각질이나 보푸라기를 말끔하게 제거하고 싶은가.

구질구질하지 않게 살고 싶은가.

그렇다면 구매하라. 후회 없이.

세계의 중심

커다란 나무, 높은 산처럼 공간에는 어디나 심리적 무게중심이 있다. 그러나 모래 언덕이 바람에 끊임없이 이동해 가는 사막에서는 이렇다 할 중심이 따로 없다. 중심이 없으면 좌표가 없고, 좌표가 없으면 공간의 구획이 없다. 무엇을 근거로 삶을 배치하고 설계할 것인가. 불안하다. 불안한 인간은 공간에 점을 찍고, 그 점을 등거리로 잡아 늘려 원뿔과 삼각뿔을 만들고 원과 구를 만든다. 피라미드로 상징되는 추상이 탄생하는 순간이다. 불안이 안도의 형식을 발명하는 순간, 사막에 방향과 질서가 자리 잡는 순간, 보이지 않는 세계가 보이는 세계를 이끌어 주는 순간!

마음의 붉은 꽃, 2013

아키라 형의 일갈

영화 감독 구로사와 아키라(1910~1998)의 《구로사와 아키라, 자서전 비슷한 것》을 읽다 보니 구로사와에겐 네 살 위의 형이 있었다. 무성영화의 변사였던 그는 스물여덟 살에 자살로 생을 마감한다. 관동대지진이 일어났을 때, 그는 열네 살의 구로사와를 데리고 참사 현장을 돌아다니며 구로사와에게 끔찍한 시신을 똑바로 주시하라고 소리친다. 주검을 응시하라! 똑바로 보면 무서운 것 따위는 하나도 없다는 것이 동생에 대한 형의 일갈이었다. 동생을 강물에 던져 놓고 동생으로 하여금 필사적으로 수영을 배우게 하고서는 형은 태연하게 말한다. "아키라, 사람이 물에 빠져 죽을 때는 히죽히죽 웃는다더니 진짜였어. 너도 웃더라."

나처럼 익사 직전까지 가 본 사람은 온몸으로 안다. 삶의 안간힘을 놓아 버렸을 때 찾아오는 어떤 아득하고 감미로운 평화. 어떻든 아키라를 만든 것은 형이었는지도 모르겠다. 사람이란 무수한 간섭과 영향의 결과, 저 혼자 자기가 되는 사람은 없다.

사이비

사이비(似而非)란 '비슷하지만 아니다'라는 뜻이다. 원본은 없고 복제품이 널린 디지털 세상이 실은 사이비 세상이기도 하다. 그림도 실물에 방불할 뿐이지 실물 그 자체는 아니라는 점에서 사이비의 일종이다. '비슷하지만 아니다'라는 뜻을 가진 사이비의 세계를 가장 잘 보여 주는 곳은 민속촌의 도깨비집이다. 한 번이라도 도깨비집에 들어가 본 사람은 안다. 처녀귀신, 몽달귀신…….

실제 귀신은 아닐지라도 눈앞에 출몰하는 각종 귀신에게 아찔한 공포가 느껴진다는 것. 그러나 그 공포는 진짜 공포가 아니다. 그것은 실제가 아니라는 데서 오는 안도감이 전제된 '부드러운 공포', 연출과 기획이 꾸며 낸 거짓 공포다. 그 거짓 공포가 역설적으로 당신이 안전한 곳에 있다는 사실을 확인해 준다. 진짜는 우리를 산산조각내지만 어떤 사이비는 우리를 안도하게 한다. 아이처럼 우리는 공갈 젖꼭지를 물고 엄마 가슴이 아닌 곳에 묻혀 안도의 숨을 내쉬게 되는 것이다. 그래, 아직 여기는 지옥이 아니라고 뇌까리며.

따지고 보면 예술 자체가 실재가 아닌 실재의 모방, 사이비다. 그러나 '너' 없는 곳에서 '너 닮은 것'이라도 만나고 싶은 마음, '너'에 대한 그리움이 사이비를 만들어 내는 것은 아닌지. 너의 체취를 흉내 내고, 너의 형상을 흉내 내지만 결국은 '너'의 부재를 확인하게 될 뿐이다. 그러나 저 숱한 사이비들 덕분에 닮음이 필요 없고, 비교가 불가능한 '너'를 간절히 꿈꾸고 기다리게 된다. 그래, 어떤 시인의 바람대로 향그러운 흙가슴만 남고 껍데기는 가라.

열정, 2014

거울아, 네가 할 짓이 아니다

거울아, 거울아, 누가 세상에서 제일 예쁘니, 라고 물은 왕비의 주둥이도 문제고, 백설공주가 제일 예쁘다고 말한 거울의 주둥이도 문제다. 등급과 순위를 매기는 주둥이만 없었다면 독사과도 없었을 터이다. 왕비는 왕비대로 예쁘고 공주는 공주대로 예쁘다고 말했어야 했는데……. 적어도 저 이야기에서 비교는 뻘짓이다. 거울이 할 짓이 아니다.

역전앞이 어때서!

정확성의 기준으로만 본다면 "수진이 날진이 해동청 보라매도 쉬어 넘는 고개 동선령(洞仙嶺) 고개라도 임이 와 날 찾으면 신발 벗어 손에 들고 아니 쉬고 달려가리"라는 《춘향전》의 구절에서 '동선령 고개'는 '령'이 '고개'라는 뜻을 지니고 있으므로 의미의 중복으로 비문으로 볼 수 있다.

그러나 언어 대중들은 '정확성'보다 '편리성'을 추구하는 경향이 있다. 편리하고 알아듣기 쉽다면 의미의 중복이라고 해서 표현하기를 주저하지 않는다. 법칙은 식자들이 떠받드는 덕목일 뿐이다. 간편하고 쉬우면 법칙에 다소 어긋날지라도 윈 길을 가는 것이 민중들이 언어를 사용하는 방식이다. 이렇게 해서 '역전앞'이란 말도 생겨났고 '머리를 자른다'라는 말도 생겨났다. '역전'이 맞고 '역전앞'이 그르다고 해도 '머리를 자른다'가 아니고 '머리칼을 자른다'가 더 정확한 표현이라 할지라도, 언어 대중들은 머리(理性)가 시키는 길을 가지 않고 몸의 길을 간다. 아무리 국립국어

원에서 '집단따돌림'이 맞고 '왕따'는 괴상한 조어 방식을 가진 단어라고 계몽을 할지라도 언어 대중들은 편리한 쪽으로 길을 간다. 그 길은 문법과 법칙이 가리키는 길이 아니다. 정확성을 기하기 위해서 '책을 읽는다' 대신 '책의 글씨'를 읽는다고 말하는 이는 좀 이상한 사람이다. 어떤 이는 그를 원칙주의자라고 생각할지 몰라도.

여름 이야기

한 집에 일곱 가구가 세 들어 살던 이태원 우물집
구더기들이 꼬물락거리는 뒷간 바닥에
누군가 10원짜리 지폐를 떨구고 갔다.
왕거미들도 구더기들도 건져 가지 못한 지폐를 잠자리채로 건져
우물물에 씻어 다리미로 다리니 빤스 냄새가 진동했지만
10원에 다섯 개 하는 아이스께끼는
참으로 달콤하고 시원했다.
나도 한 개만 달라고 매미 새끼들이 악을 쓰며 울던 날
아이스께끼에 아랫배가 싸륵싸륵 아파 오던 여름날.

좀 구질구질한 이야기다.
용변을 본 양변기에 만 원짜리 지폐가 빠졌다.
손을 담글 것인가 말 것인가?
궁한 사람은 담그고 궁하지 않은 사람은 담그지 않을 것이다.

천만 원짜리 수표라면 어쩔 것인가?

대부분은 손을 담글 것이다.

천만 원을 포기하고도 아무렇지도 않을 만큼 부자는 아주 희귀할 것이다.

우리의 정의와 도덕심은 대부분 절박하지 않은, 여유에서 올 수 있다는 것.

뒷간 바닥으로 손을 내미는, 절박한 저들의 손에는 어떤 죄의 부스러기도 묻어 있지 않다.

Boil Brown 선생의 하루

피곤한 사내, 2011

보일 브라운 가라사대

보일 브라운은 은퇴 후 말년의 저서 《시간의 섬에서》의 서문에서 이렇게 썼다.

모든 모형은 실재를 반영하는 것이 아니라 사유를 반영한다. 우주가 얼마나 복잡하고 경이로운지 잘 아는 학자들은 어떤 이론을 진리라고 부르길 극도로 경계한다. 확신은 지혜의 소산일 때보다 무지와 편협함의 소산일 때가 많다. 그럼에도 우리는 모든 별들과 동물들, 대지와 그 위에 뿌리 내린 식물들과 벌레들의 운동을 이해할 단 하나의 매뉴얼, 그 비밀의 책을 찾기를 꿈꾼다. 학자들의 가슴에 타는 불은 바로 이 도저한 꿈에 바쳐져야 마땅하다. 루게릭 병에 걸린 호킹 박사는 뺨의 근육만으로도 우주를 말했다. 나의 연료통에는 이제 몇 방울의 기름이 남아 있지 않다. 혼신의 힘으로 가슴의 불을 밝힌다면 나는 저 저녁의 나무들과 함께 탄생 이전의 시간으로 돌아갈지도 모른다. 어머니와 아버지 없이도 새로운 탄생이 시작되는 곳. 일찍 일어난 빛들이 기나긴 여정의 출발을 위해 신발끈을 매던 곳. 신들이 그들의 안쓰러운 출발을 지켜보던 곳.

옛것으로 구부러지는 마음

무엇으로든 배가 차면 그만이라는 생각을 가진 나로서는 음식의 질과 상표를 따지는 미식가와는 거리가 멀다. 하지만 태평추, 올방개묵무침, 감자붕생이, 콧등치기국수, 군포당정옥로주, 인천칠선주, 박속낙지탕, 들깨꽃부각과 같은 토속 음식에 쏠리는 애정을 어찌할 수 없다. 괴산 산막이 옛길, 추곡령 옛길, 충주 하늘재 고갯길, 강릉 바우길……. 구수한 이름을 가진 옛길에 마음이 구부러지는 것도 어찌할 수 없다.

마라톤 풀코스를 완주할 만큼 다리 힘이 멀쩡하고 시야가 총총할 때는 딴짓하다가 이제 모든 것이 흐릿해지고 시들해지기 시작하니 마음이 옛것들로 구부러진다. 나는 '내 안의 보수'가 반갑기도 하고 조금은 서글프기도 하다. 어쩌랴, 우리 음식들을 노래한 백석의 시에 마음을 부쳐볼 뿐이다. 졸시 〈백석의 편백나무〉다.

남쪽 바닷가 어떤 낡은 항구의 처녀 하나를 나는 좋아하였습니다. 머리가 까맣고 눈이 크고 코가 높고 목이 패고 키가 호리낭창하였습니다, 라고 詩人 백석은 썼다. 내가 사랑하는 어여쁜 사람이 이미 다른 남자의 여자가 되어 끓이는 대굿국 냄새에 가슴 먹먹해져 백석은 통영의 선창가 어디쯤에서 흐려지는 불빛들을 안주 삼아 술을 마셨을 것이다. 저무는 것들의 뒤태여, 너는 어찌 이리도 아프게 마음을 베는 것인지, 왜 아름다움은 서러운 별에서 태어나서 비진도, 매물도, 학림도, 연화도, 오곡도, 욕지도, 사량도, 곤지도, 낯선 섬들의 이름 속으로 사라져 가는 것인지, 왜 아름다움은 인간을 능멸할 수 없는 것인지, 별 하나의 슬픔과 별 하나의 글썽임과 별 하나의 서러움을 안주 삼아 詩人은 술잔을 비웠을 것이다. 목선들이 실어 나르는 비린내에 잠이 깨인 선창가의 아침, 詩人은 술병을 고친다는 물매기국으로도 풀리지 않는 술독을 미륵의 섬 편백나무 숲으로 가서 말없이 내려놓았을 것이다. 사라져 간 한 사람의 냄새에 사무치듯 詩人 속의 편백나무들이 필생의 향기를 풍기며 흔들렸을 것이다.

목마른 물고기, 2014

새, 2013

한 음절

밤, 별, 달, 해, 산, 땅, 집, 몸, 밥, 피, 말과 글, 너와 나, 비와 술…….

한 음절의 말 속에는 참 큰 것이 있다.

집이라고 발음하면 입술이 고즈넉히 닫힌다.

방이라고 발음하면 입술이 고요하게 열린다.

나보다 먼저 입술이 세상의 이치를 아는 눈치다.

잠, 2013

말의 느낌, 말의 표정

지느러미라고 발음해 보라. 그것은 얼마나 부드러운가. 바다라고 발음하면 우리의 입이 얼마쯤은 바다를 닮는다. 뾰족하다는 말은 얼마나 뾰족하며 뭉툭하다라는 말은 얼마나 뭉툭한 것인지. 칼은 말을 닮아 날카롭고, 달 역시 말을 닮아 둥글다. 숨이란 말에서는 미묘한 공기들의 움직임이 감지된다. 하늘이란 말의 하늘스러움과 바람이란 말의 바람스러움과 별이란 말의 별스러움. 가자미라고 발음하면 바다의 바닥으로 깔리는 듯한 느낌의 가자미스러움. 참새의 눈썹, 나무의 겨드랑이, 강아지 하품……. 우리말에는 참으로 재미있는 구석이 있다. 말의 의미 말고도 말의 체온, 말의 느낌, 말의 표정을 주고받으며 우리는 산다.

귀향, 2017

마포 종점

"밤 깊은 마포 종점" 부근에 나는 산다. 전차도 없고, 동지 무렵이면 알을 낳으러 먼 바다에서 양화도와 서강으로 몰려왔다던 붕퉁뱅어도 없고, 밤섬 근처에 살던 비파와 피리의 명인 김성기도 없고, 광화문에서 온수동까지 가는 123번 세풍운수도 없고, 구수동 근처에서 양계장을 하던 김수영도 죽고 없고, 구질구질하기 천하제일이던 동진의원도 없지만 나는 여전히 LP판에 활어처럼 살아 있는 은방울자매의 밤 깊은 마포가 좋다.

백석의 수필에 '마포(麻浦)'가 있다. 1935년 〈조광(朝光)〉에 발표한 그의 글에서 한 뱃사공이 마포의 매력을 아주 짧게 요약한다. "마포는 참 좋은 곳이여." 더 무엇을 말하랴. 항상 옳지만, 적어도 흰 눈발이 날리던 어젯밤은 백석과 뱃사공이 무조건 옳았다. 돌아오지 않을 사람 기다린들 무엇하랴, 붕퉁뱅어야, 네가 없어도 그리운 사람들과 벗들이 있어 마포가 나는 좋다. 저기 봐라, 당인리 화력발전소의 굴뚝이 거대한 도넛을 풍풍 내뱉으신다.

물고기 가족, 2014

물고기 가족

저 물고기들은 물고기 네 마리에 불과할 터이지만 사람들은 저 네 마리의 물고기 형상을 보고 물고기 가족을 생각한다. 아빠 물고기, 엄마 물고기, 형아 물고기, 동생 물고기 하는 식이다. 그것은 물고기를 보면서 물고기는 보지 않고 인간을 보는 일이지만, 우리는 그런 식으로 나무와 동물에서, 구름과 천둥번개에서 인간을 읽어 낸다. 이제 그만 나의 눈이 사물을 인간으로 읽어 내는 일을 그만 두었으면 한다. 사물을 사물 그 자체로 읽어 들이자는 이야긴데 나의 눈은 좀처럼 옛 버릇을 버리지 못한다. 나의 눈은 저 물고기들을 한사코 물고기 가족으로 보려고 하는 것이다. 제 몸에 붉은 등을 단 것을 보니 그곳도 어두운 모양이구나. 뭐 늘 이런 식이다.

기다림, 2016

산책, 헛걸음

뭔 일을 하든 헛수고, 헛짓을 하는 수가 있지만 산책에는 헛걸음이란 없다.

산책에 유일한 목적이 있다면 헛걸음을 만들어 내는 일.

표정들, 2012

떠오르지 않는 표정

너를 보는 눈, 너의 목소리를 듣는 귀, 너의 체취를 맡는 코, 소리쳐 너를 부르는 입, 그 모두가 얼굴에 모여 있다. 얼굴을 그리는 일은 그 모든 감각을 가진 한 사람을 그리는 일이기도 하다. 얼굴은 43개의 근육으로 이루어져 있고 우리는 이 근육들을 이용해 1만 개의 표정을 만들어 낸다고 한다. 네가 만들어 내는 1만 개의 표정 중에서 단 하나의 표정도 떠오르지 않아 붓과 마음이 하염없이 허공을 서성거리기도 하는 봄날이다.

우애, 2010

가족

집에 돌아와 옷장을 여니 아이들이

옷걸이에 걸려 있었다.

왜 여깄느냐니까 숨바꼭질 중이란다.

여긴 위험하다며 아이들을 옷걸이에서 내려

잘 개켜서 서랍 속에 넣으려니

서랍 속에 아내가 숨어 있었다.

아내가 당신도 얼른 들어오라고 해서

아이들을 넣어주고 들어가려니

자리가 마땅치 않았다.

서랍 문을 닫아 주고 숨을 곳을 찾으니

방 안이 문득 벌판이었다.

어느 졸업생

차 없는 날, 운동 삼아 학교에서 집에까지 걸었다. 효창운동장을 지나 길가에 피어 있는 코스모스에 정신을 팔며 공덕동 네거리를 지날 때쯤 누군가가 인사를 했다. 12년 전에 졸업한 제자 P였다. 가볍게 포옹을 했다. 학창 시절 소위 '일진'답게 P는 다부진 체격에 눈매가 날카롭고 매서웠는데 그동안 살이 좀 찌고 인상이 부드러워졌다. "한번 찾아뵐게요." "그래, 또 보자." 몇 마디 의례적인 인사를 나누고 헤어졌을 때 불현듯 P가 작문 시간에 쓴 글이 내 컴퓨터 기억 장치 어딘가에 있다는 생각이 들었다. 귀가 후 컴퓨터를 뒤져 보니 그의 글이 있었다.

초등학교 3학년 때, 아버지와 엄마는 자주 싸웠다. 아버지와 엄마가 싸우는 날은 나는 이불 속에 들어가 귀를 꽁꽁 막고 억지로 잠을 청했다. 어느 날 아버지와 엄마가 싸우고 난 뒤, 엄마는 집을 나가 돌아오지 않았다. 핸드폰도 없었던 때라 엄마에게 연락도 할 수 없었다.

그런데 엄마가 집을 나간 지 사흘째 되는 날, 아버지는 엄마를 만나러 간다며 나에게 옷을 입으라고 말했다. 아버지와 엄마가 만난 곳은 잠실 지하상가에 있는 커피숍이었다. 아버지는 엄마와 조용히 상의할 것이 있으니 너는 롯데월드에서 놀다 오라면서 나에게 이만 원을 주셨다. 나는 놀러갈 기분이 나지 않았지만 아버지 말씀대로 혼자서 롯데월드로 갔다. 놀이공원에 가니 부모의 손을 잡고 즐거워하는 아이들이 많았다. 부모들과 같이 즐거워하는 아이들의 모습을 보니 왠지 나만 세상에 버려진 것 같아 자꾸 눈물이 났다. 모노레일도, 바이킹도 타고 싶지 않아서 혼자서 여기저기 걸어 다니며 두 시간이 빨리 지나기를 바랐다.

두 시간이 지나 잠실 지하에 있는 커피숍으로 갔다. 아버지와 엄마는 심각한 표정이었고 목소리에는 화가 잔뜩 나 있었다. 나는 대체 무슨 말인가 부모님의 목소리에 귀를 기울였다. 내용은 이런 것이었다. "당신이 엄마니까 아이를 책임지라고. 아버지 혼자 어떻게 아이를 길러." "내가 당신의 아이를 왜 길러. 아이는 아버지가 책임져야 하는 거 아냐?" 아버지와 엄마의 대화 내용은 나를 책임질 수 없다는 것, 나를 기를 수 없다는 것이었다. 내가 그렇게 쓸모없는 존재란 말인가. 그렇다면 무엇하러 자식을 낳았단 말인가. 눈물이 쏟아졌다. 아버지와 엄마를 향한 나쁜 말이 내 입에서 쏟아져 나왔다. 나는 울면서 지하 커피숍을 뛰어나왔다.

P는 늘 태도가 불손했고 눈빛도 항상 반항적이어서 소위 '눈 밖에 난 학생'이었다. 그러나 P가 쓴 글을 읽고 나자 그가 달리 보이기 시작했다. 그의 반항적인 눈빛도 더 이상 거슬리지 않았다. 그를 연민의 눈으로 바라보기 시작했던 것이 이 글을 읽었을 때였다. 글의 힘이란 것이 무엇인가를 실감하는 순간이기도 했다.

자동차로 퇴근을 했으면 P와 부딪히지 않았을 것이다. 걷기가 이런 조우를 가능하게 했고, 오랜 기억을 불러왔다.

하나

뭔가 뒤숭숭할 땐, 각혈을 하듯, 울컥울컥 되는 대로 뭔가를 쏟아내 본다. 쏟아 내야 할 그게 무엇인지 알 수가 없다. 어떤 무정형의 덩어리! 의식은 이 작업에서 뒷전이다. 몸이 하는 짓거리를 뒷짐을 지고 물끄러미 지켜볼 밖에. 왜 추상화가들이 자신의 작품을 추상적 기호, 가령 No. 259, 하는 식으로 붙였는지 조금 알 것도 같다. 제목을 붙인다는 핑계로 뒷짐 지고 있던 의식이 전면에 등장해 꼴같잖은 주인 행세를 하려는 작태가 같잖아 보여서일 것 같다.

하나가 또 하나의 길을 만드니, 처음 하나가 어떻게 자리하느냐에 따라 다음 하나가 결정되고, 그 둘의 어울린 모양에 따라 셋이 결정되니, 셋의 모양은 결국 애초의 하나가 어떻게 자리 잡느냐에 달렸다. 그러니 갖은 복잡한 형상도 결국 처음 하나가 어떻게 결정되느냐에 달린 것이니, 처음 하나라고 해서 막대를 꽂듯 마구 꽂을 일이 아니다. 이 모든 게 마음으로 어쩌지 못하는 것이니, 몸이 마음을 잊을 때까지, 가고, 또 가고…….

편두통, 2013

흔들려라, 청춘!

졸업한 지 십 년이 넘은 학생이 찾아와 선생님 덕분에 외우게 된 시라며 시를 읊조린다. 황동규의 〈기도〉라는 시다.

내 당신은 미워한다 하여도 그것은 내가
당신을 사랑하는 것과 마찬가지였습니다.
당신이 나에게 바람 부는 강변을 보여 주며는
나는 거기에서 얼마든지 쓰러지는
갈대의 자세를 보여 주겠습니다.

특히 마지막 3행으로 구애 작업에도 성공했단다. 당신이 나에게 바람 부는 강변, 나를 향한 당신의 붉은 마음의 한 자락을 내게 보여 주신다면 나는 얼마든지 당신의 마음 앞에서 쓰러져도 좋겠다는, 이런 구절로 흔들리지 않는 미녀가 있다면 그는 이미 미녀가 아니라고 내가 말했다고 한다.

내가 그런 말을 했는지 어땠는지 아리송하지만 나는 그 말을 지금도 믿고 싶다. 사람은 아름다운 것 앞에서 흔들리도록 설계되어 있는 것은 아닐지. 아름다움 앞에서 청춘은 더더욱 속수무책이다. 흔들려라, 청춘!

연인, 2010

빈틈

가운데가 휑하니 비면 날것과 날것의 몸뚱이만 남게 된다. 물론 경우에 따라 그것도 나쁘지 않지만 대개의 경우 욕망의 불씨가 남아 있는 몸뚱이는 부담스러울 때가 많고, 당연 침묵은 어색해지기 마련이다. 긴장이나 마찰을 완화하기 위해, 이럴 때는 문과 문틈 사이에 가죽을 덧대어 놓듯, 뜨거운 잔과 소반 사이에 잔받침을 끼워놓듯, 무언가를 사이에 슬쩍 끼워 넣는 것도 나쁘지 않다. 글씨와 그림 이야기, 청담도 좋고, 정견을 풀어놓는 것도 좋다. 물론 제일 좋은 것은 침묵을 어색해 하지 않고 편하게 느낄 수 있을 여유로움이겠지만, 그런 것이 없다면 차가 그중 낫다. 서로 홀짝이고 있으면 시간 잘 간다. 바닥이 보이면 또 한 잔. 일배일배부일배. 방광이 넉넉하다면 몇 시간 그러고 놀 수 있다.

사라져 간 소리들

비행기, 자동차, 히터 엔진……. 소음은 옛날에 비해 늘었지만 소리는 현저히 줄었다. 사라진 소리만 해도 열거하기가 힘들 정도다.

메밀묵, 찹쌀떡, 뻔데기, 뻥이요, 머리카락 파세요, 채권 삽니다, 아이스께끼나 하드, 수박이 왔어요, 참외가 왔어요……. 모든 거래의 시작이 소리로부터 시작되었다고 해도 과언이 아니었다.

교회당 종소리, 두부장수 종소리, 엿장수 가위 소리, 약장수 북소리……. 소리들도 다양했다. 친구 집 앞에서 아무개야 놀자, 부르는 소리, 이놈의 새끼들이 한번 놀러 나가면 집구석에 들어올지를 모른다며, 아무개야 밥 먹어라, 그악스럽게 외치는 엄마들의 소리, 뭘 잘못했는지 악을 쓰며 울면서, 다시는 안 그럴게요, 싹싹 비는 소리, 비닐우산에 떨어지는 빗소리, 양철지붕에 떨어지는 우박 소리, 명절에 폭음탄 터지는 소리…… 소리가 곧 삶이었다고 해도 과언이 아니었다.

층간 소음처럼 소음에는 불화가 따르지만 소리에는 사람살이의 정겨움이 묻어 있다. 부엌에서 들려오는 도마질 소리, 쌀 안치는 소리, 또 저녁이다.

쓸개 빠진 스프링

항상성, 일정한 상태를 유지하려는 성질, 너는 그것이 건강의 징표라고 했다. 압력을 받은 스프링은 억압의 에너지에 맞서 처음을 향해 솟아오른다. 그 싱그러운 탄력성을 너는 건강이라고 했다. 초경을 막 치른 여자애들의 풀잎 같은 가슴이 꼭 그럴 것이다. 스무 살 때 댓병 소주를 마시고도 한잠 자고 나면 너끈해지게 해 주던 싱싱한 간장의 알코올 분해 능력도, 위대한 망각의 수레바퀴, 아이들의 건망증도 우리들을 아픔과 슬픔의 이전, 상처 이전으로 재빠르게 복귀시킨다. 분해와 망각은 슬픔을 모른다. 그것이 스프링의 건강함이다.

그러나 너의 항상성과 건강은 스프링의 물리학에 관련해서만 타당할 뿐이다. 수족 같은 자식과 형제들과 아내를 잃고, 네가 스프링처럼 슬픔의 늪에서 재빠르게 솟아오른다면, 그리하여 너의 싱싱한 회복탄력성을 건강이라고 한다면 어떤 쓸개 빠진 놈이 그런 건강함에 박수를 치겠는가.

너와 나는 설움도 모르는 스프링이 아니다. 흑백사진 속 수건으로 머리를 꽁꽁 싸매고 식음을 전폐하신 저 어머니의 뒷모습, 안주도 없이 소주를 벌컬벌컥 마셔 대는 아버지, 그 타는 목마름과 벙어리 냉가슴이 사람의 건강함을 거꾸로 말해 주는 것은 아닐까. 나는 쓸개가 없는 건강을 알지 못한다.

밤의 정원, 2014

어둠의 자리

어둠은 빛을 이길 수 없다고 연단의 연사가 외쳤다. 양심과 선의는 악과 불의를 끝내 이긴다는 말일 것이다. 그러나 상징이나 은유로서의 어둠 말고, 어둠 그 자체를 사유해 보면 사정은 달라진다. 어둠은 누구에게나 공평하고도 무차별적으로 작용한다. 그 앞에서 계급도 특권도 무용지물이다. 어둠이 하는 일은 조무래기 빛 부스러기들이 하는 일과는 격이 다르다. 어둠은 모든 것을 지운다. 빛이 하는 일이 더하는 일이라면 어둠이 하는 일은 덜어내는 일. 우주는 어둠으로 해서 비로소 정화된다. 제야(除夜)는 말 그래도 어둠을 걷어내는 일. 악과 불의는 걷어 내야 마땅하지만 도시 곳곳에 어둠이 은신할 만한 구석과 공터를 남겨 놓는 일은 나쁘지 않은 일이다. 어둠은 그곳에 기대 누군가가 눈물을 떨구는 자리요 연인들의 포옹과 입맞춤의 장소다.

조금 잘했으면 하는 마음

그냥 하면 되지 잘하려고 하는 마음을 버리라고 한다. 글씨든 그림이든 그냥 하면 되지 굳이 잘하려고 하지 말라고 한다. 대개 이런 말을 하는 사람들은 무엇을 하든 대충 하는 사람들이다. 적당주의나 대충주의를 달관으로 포장하는 자세는 마뜩잖다. 사이비 노자와 장자와 달마들. 달착지근한 잠언과 금언들로 욕망을 포장하는 속류 긍정심리학 예찬자들.

외과의사는 수술을 잘하려고 하는 사람이고, 시인은 시를 잘 써 보려고 하는 사람이다. 자기 초월의 의지 없이 예술가라고 할 순 없겠다. 돈? 명예? 무슨 영화를 보겠다고 잘하려고 하겠는가. 자기를 끊임없이 넘어서려는 마음, 잘해 보려고 하는 마음, 그것이 수술 칼과 붓과 펜과 같은 연장을 들게 하는 것은 아닌가. 자기 비평의 기준선을 스스로 완화한다면 이미 늙은 것은 아닌지. 부단히 안목을 넓혀 가지 않고서는 긴장된 기준선을 유지하기 어려울 것이다. 이만하면 되었다는 느슨한 마음, 이것을 무욕과 사심

없음으로 착각하지 말자. 방하착은 얼어 죽을! 백척간두진일보. 대개 안전선은 위험선일 경우가 많다.

당신이 프로야? 당신이 뭐길래, 라고 묻는 사람이 있다. 나는 그냥 하는 사람, 그냥 해 보지만 좀 잘했으면 하는 사람이라고 답해 줬다. 모처럼 잘 응수했다고 생각했는데 저쪽에선 저치가 뭔 소리를 하는구나 정도로 생각하는 거 같았다. 그러거나 말거나, 나는 나 하나만이라도 즐거웠으면 좋겠다고 생각했다.

옥상 달빛, 2017

나는 선보다 색이 좋다

색채의 에너지가 아무리 강하다고 해도 선과 형태에 의해 제어되지 않으면 안 된다고 보는 형태주의자는 푸생과 앵그르다. 반대로 즉흥적인 순발력과 색채를 중시하는 색채주의자는 루벤스와 들라크루아. 굳이 좌우로 구분하자면 우파가 형태주의자요, 좌파가 색채주의자다. 선을 빌어 외양의 형태를 정밀하게 묘사하기 위해서는 '학교'라는 시스템과 자본과 권력이 필요하기 때문이다. 그러나 색은 시스템에 의존하지 않아도 저절로 흘러나올 수 있다. 색은 선보다 즉흥적이고 가변적이다. 선은 색보다 비싼 비용과 시간을 요구한다. 형태는 색채에 비해 훨씬 더 엄격하고 강고한 질서다. 선은 질서를 부르고 색은 해방을 부르는 것이 아닐까. 형태(소묘)를 중시할지, 색채를 중시할지는 각자의 취향에 따른 문제다. 시스템의 덕을 본 바가 별로 없는 데다가 다소 즉흥적이고 충동적인 나는, 형태보다는 색채에 방점을 찍는다. 가방끈이 짧아 형태를 재현하기가 난감하다는 이야기를 복잡하게 했다.

흐린 눈

노안 초기, 툭하면 안경을 잃어버렸다.
안경 없이도 그럭저럭 세상이 보였기 때문이다.
이제는 좀처럼 안경을 잃어버리지 않는다.
흐린 눈이 안경의 손목을 꼭 틀어쥐고 있는 셈이다.
너의 손목을 틀어쥐고 있는 것이 필요가 아니었음 좋겠다.
정말 그랬으면 좋겠다.

여자에게 주는 선물

인디밴드 옥상달빛의 〈수고했어. 오늘도〉가 딸이 좋아하는 음악이라는 것을 아비가 알았고, 브루스 스프링스틴의 〈더 리버(The River)〉가 제 아비의 패보릿송이라는 것을 딸이 알았다. 서로의 취향과 코드를 확인한다는 것은 느꺼운 일이다. 훗날, 딸은 브루스 스프링스틴의 〈더 리버〉를 들으며 생전의 아비를 기억할 것이다.

사람은 가도 음악은 잘 가지 않는 법이다. 사람과 달리 음악은 언제 어디서든 재생이 가능하다. 리플레이 버튼을 누른다고 한 번 간 사람이 다시 오는 법은 없지 않은가. 그러나 음악은 다르다. 리플레이 버튼을 누르면 음악과 함께 기억도 재생된다. 음악도 오고 '그'의 기억도 오는 것이다.

소설가 김영하는 자신의 산문집 《포스트잇》에서 이런 말을 한 적이 있다. "여자에게 결코 잊히지 않는 남자가 되고 싶다면 두 가지 방법이 있다. 하나는 변태를 가르치는 것이고 다른 하나는 음악을 선물하는 것이다."

딸에게 아빠가 줄 수 있는 것은 당연히 후자다.

연주, 2012

갑각류

준형(가명)이는 자신이 위험에 처했다는 망상이 심해질 때는 파출소에 가서 하루 종일 앉아 있기도 했고, 심지어는 화장실에서 도시락을 먹기도 했다. 준형이에게 필요한 곳은 언제나 안전한 곳이었다. 어느 날 수업 시간에 까만 봉지를 만지작거리고 있기에 뭐냐고 물었더니 용산 가족 공원에서 잡았다며 팔뚝만 한 가재를 꺼내는 것이었다. 나중에 엄마의 이야기를 들어 보니 준형이가 가재를 좋아하는 이유가 딱딱하고 견고한 갑각류의 외피 때문이라는 것이었다. 준형이의 몸은 가재 밖에 있지만 준형이의 마음은 가재의 딱딱한 외피 속의 안전한 거처 속에 들어가 앉아 있는 셈이었다. 준형이는 가재의 상징 속에 들어가 앉아 하루하루를 숨 쉬고 있었다. 눈썹이 짙고 피부가 하얀, 귀염성 있는, 누구에게나 호감을 주는 인상이었는데 준형이는 늘 무엇엔가 쫓기고 있었다. 지금은 꽃게처럼 견고한 외피를 입고 어디에선가 자유롭게 호흡하고 있기를.

수능 시험장에서

오늘 새벽, 수능 시험 보는 아이들을 응원 갔다가 모 고등학교 정문 앞에서 본 풍경 하나!

우스꽝스런 털모자를 쓰고, 귀와 코에 피어싱을 한 아이가 담배를 물고 나타났다. 밤새 술을 마셨는지 역겨운 술 냄새가 진동했다. 그 아이는 한 여자아이를 껴안고 주위 사람들이 다 들을 정도로 큰 소리를 쳤다. "나 1교시만 끝내고 나올 거야. 기다려. 씨발. 1교시도 일 분 내로 끝낼 거니깐." 호기롭게 외치며 그는 한 여자아이를 얼싸안았다. 여자아이는 당황하지 않고 오빠 파이팅을 외친다. 주위 사람들이 끌끌 혀를 찬다. 타인의 시선에 아랑곳하지 않고 아이는 씨발씨발을 연신 중얼거린다. 술 냄새가 진동을 한다.

재미있는 게임, 공정한 게임은 누가 이길지 모르는 게임, 결과를 알 수 없는 게임이다. 대한민국에서 게임은 승패의 방향이 뻔하다. 승자독식, 우승열패, 되는 놈만 되고 또 된다. 그래서 재미없다. (가끔 예외가 있긴 하겠지. 이 너절한 시스템을 홍보하기 위한 성공

홍보 대사.) 저런 '날라리'들도 이겨 볼 수 있어야 하지 않겠는지. 기를 쓰고 달려들어도 늘 지기만 한다면 뭣 하러 게임을 하겠는가. 네가 열 번 이긴다면 나도 최소한 댓 번은 이겨야 하는 거 아닌가. 오늘 아침에 본, 코에 피어싱을 한 아이는 대한민국의 '재미없는 게임'에 넌더리가 난, 그래서 밤새 절망을 곱씹었던 아이일 거라고 나는 마음대로 생각해 본다.

먼저 보아야 할 것들

눈이 계속 침침하고 눈물이 나서 병원에 갔더니 눈이 좀 건조하단다. 거기서 끝날 줄 알았는데 정밀 조사를 하더니 녹내장 초기란다. 녹내장? 녹내장은 시신경이 사라지는 병으로 실명의 원인이 되기도 한단다.

관찰 총량의 법칙이란 것도 있나? 평생 볼 수 있는 대상이 한정되어 있다면 나의 녹내장은 대수롭지 않을 수도 있다. 야생화 보러 다니고, 별 보러 다니고, 책 보고, 나무 보고, 그림 보고, 글씨 보고, 내 몸에서 눈이 가장 혹사당한 것 맞다. 그러나 파리 박물관이나 이태리 미술관, 미국의 자연사 박물관도 못 가 보고, 히말라야나 호주 사막도 못 가 보고, 보지 못한 것도 아직은 많다. 그려야 할 것도 많고 써야 할 것도 많다.

뭐든 항상 있는 것은 아니다. 당연히 있는 거라고 생각되는 것도 잠시 주어진 것일 뿐이다. 늘 거기 있을 거란 생각은 일종의 착각이다. 눈도 그렇고 코도 그렇다. 아내도, 아들도, 친구도 항상 거기 있는 것이 아니라 그들은 있다가도 없을 사람들이다. 항상은 없다. 그래서 무상일 게다.

볼 수 있을 때 잘 보자. 보아야 할 것을 보고, 보지 않아도 될 것은 보지 말자. 먼저 보아야 할 것이 있고 나중에 봐도 되는 것들이 있다. 사람의 미소와 저녁의 황혼과 밤중의 별자리는 먼저, 로댕과 미켈란젤로는 나중.

대충 이런 생각을 하면서 병원에서 집에까지 걸어왔다. 한번 상상으로 시력을 잃어 보는 것도 나쁘진 않았지만 바람이 찼다. "몸 있을 때까지만 세상이다"라는 황지우의 시 구절이 떠올랐고, 하나의 문이 닫히면 또 하나의 문이 열린다는 헬렌 켈러의 말도 생각났다. 눈으로 보고 머리로 외운 것들이다.

몸의 노래, 2015

인간 자격증

〈병(病)에게〉라는 시에서 작가 조지훈은 병을 '정다운 벗'과 '공경하는 친구'로 비유하고 있다. 고통과 불편을 친구로 생각하기란 시처럼 쉬운 일이 아니다. 그러나 주름살, 새치마저도 적으로 간주해 박멸을 할 필요는 없지 싶다.

영화 〈바이센테니얼맨〉에서 로봇 앤드루는 인간이 되기 위해 법정 투쟁을 하게 되지만, 법원은 그를 인간으로 받아들이지 않는다. 판결의 요지는 그가 인간과 달리 영원히 살기 때문이라는 것. 이에 앤드루는 "영원히 기계로서 살기보다는 인간으로서 죽고 싶습니다"라며 영원한 삶을 포기한다. 죽음과 병은 인간의 자격증인 셈이다.

그래도 아프진 말자. 너의 건강은 나의 건강을 위해서도 꼭 필요하니까.

가려움에 대하여

너의 고통을 대신하고 싶어, 라고 말하는 사람은 봤지만 너의 가려움을 대신하고 싶어, 라고 말하는 사람은 보지 못했다. 가려움, 그것은 온전히 혼자서 감당해야 할 자기만의 몫이다. 긁는 자는 고독하다. 더구나 밤에 홀로 깨어.

배고픔이나 성적 욕구와 같은 결핍이 채워질 때의 충만감을 행복이라고 말하는 사람들에게 소크라테스는 볼멘소리로 말한다. "우리가 옴에 걸려 가려움을 참지 못해 한평생 몸을 긁적거리며 살아야 한다면 이것 역시 행복한 생활이라고 할 수 있을까?"

긁으면 시원하다고? 그건 밤새 긁어 보지 못한 사람이 하는 배부른 소리다. 결핍에 대한 충족이 행복이라고 주장하시는 쾌락주의자가 계시다면 밤새 피가 나올 때까지 긁어 보시고 난 후에 이렇게 자문해 보시길 바란다. "과연, 이것이 행복이란 말인가?"

지금은 완치되었지만 딸아이가 어렸을 때 아토피로 고생한 적이 있다. 잠결에 아이가 긁는 소리가 아내의 귀에는 천둥소리처럼 들렸다고 한다. 고통의 소리를 듣는 관세음보살 곁에서 나는 잠만 쿨쿨 잤다. 남자는 사냥꾼으로부터 진화한 냉혹한 동물이고, 여자는 양육자로부터 진화해 온 공감의 동물이라고 변명해도 소용없다. 진화론은 개뿔. 남자는 성불하기 애당초 틀려먹은 존재다.

가려움이 부디 당신을 피해 가기를. 정월 대보름날에는 부럼을 꼭 챙겨 드시길!

로봇의 발견, 2015

알파고

기독교의 신화에 따르면 신은 인간을 창조한 다음 '생육하고 번성하라'라는 명령어를 인간의 몸 안에 넣었다. 이 강력한 명령어 때문인지 '성장'은 '사랑'보다도 더 우선시되는 덕목이 되어 버린 느낌이다. 그러나 인간은 성장만이 능사가 아니라는 것을 안다. 다른 것을 생각할 수 있는 능력 덕분이다.

알파고를 만든 인간이 알파고의 시스템 속에 새겨 넣은 명령어는 '이겨라'였을 것이다. 거역과 반역은 인간만의 고유한 능력, 그것은 다른 것을 생각할 수 있는 상상의 능력이다. 다행히 알파고는 이겨라, 라는 명령 말고는 다른 것을 생각할 능력이 없어 보인다. 알파고의 4승은 기계의 가능성을 보여 주는 사건이기도 하지만 동시에 그 한계를 보여 주는 사건이라고 할 수도 있겠다. 로봇의 몸에 어떤 명령어를 입력할지는 인간의 손에 달렸다. 또 다른 명령어를 생각하는 것은 없는 세계를 생각할 수 있는 인간의 상상력에 달렸다.

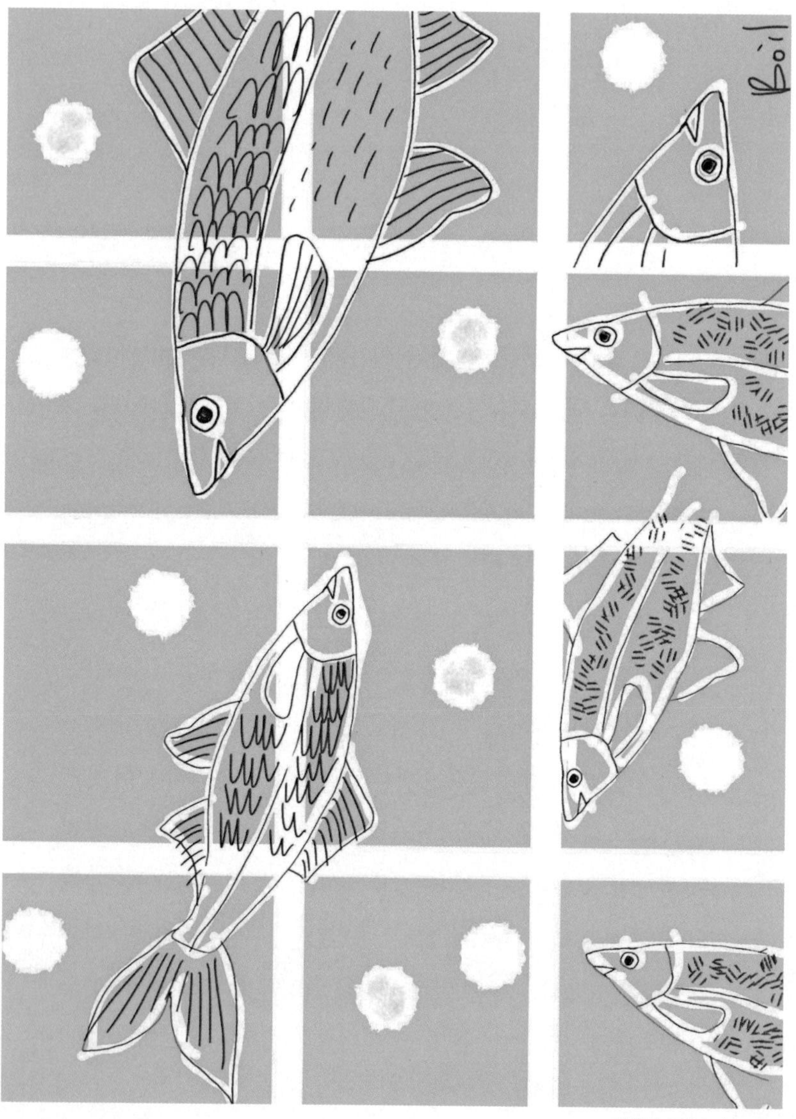

팔월의 크리스마스, 2014

팔월의 크리스마스

〈팔월의 크리스마스〉에서 시한부 환자로 죽음을 앞둔 정원(한석규)은 다림(심은하)에게 말한다.

"옛날에 내 바로 밑에 쫄병하고 보초를 서고 있었거든. 근데 갑자기 방귀 냄새가 나는 거야. 그래서 그 쫄병한테 너 방귀 뀌었지 하니까 자기 방귀 안 뀌었대. 그러면서 내가 방귀 뀌었으면서 자기한테 방귀 뀌었다고 덮어 씌우고 나한테 막 뭐라고 하는 거야. 둘이 방귀를 뀌었네 안 뀌었네 하면서 옥신각신 하다가 날씨도 춥구 해서 내무반에 들어왔거든. 그래가지고 내무반에 들어와서 막 잠을 청하려고 그러는데 아까 쫄병애가 심각하게 아까 자기 방귀 안 뀌었다고 그러는 거야. 근데 황당한 거는 아까 나도 방귀 분명히 안 뀌었거든. 근데 알고 보니 그 초소에서 근무하는 병사가 자기 애인 죽었다고 따라 자살한 장소래. 그 초소가. 그리고 그 죽은 병사가 평소에 방귀를 그렇게 잘 뀌었대."

죽음이라는 묵직한 소재를 방귀에 믹싱하는 이런 연출, 유머스럽고도 진지하다. 영화 〈굿 윌 헌팅〉에서도 심리학자 숀은, 여자친구에게 자신의 완벽한 이미지를 망치기 싫다는 피상담자 윌에게 방귀 이야기를 한다.

"평생 그런 식으로 살면 아무도 진실 되게 사귈 수 없어. 내 아내는 긴장을 하면 방귀를 뀌곤 했었어. 여러 가지 앙증맞은 버릇이 많았지만 자면서까지 방귀를 뀌곤 했어. 지저분한 말해서 미안하군. 어쨌든 어느 날 밤엔 소리가 어찌나 컸던지 개까지 깼지. 갑자기 벌떡 일어나 '당신이 꼈수?' 하길래 차마 용기가 안나 '응!' 하고 말았다니까! ……아내가 세상 떠난 지 2년이나 됐는데 그런 기억만 생생해. 멋진 추억이지. 그런 사소한 일들이 말야. 제일 그리운 것도 그런 것들이야. 나만이 알고 있는 아내의 그런 사소한 버릇들, 그게 바로 내 아내니까. 반대로 아낸 내 작은 버릇들을 다 알고 있었지. 남들은 그걸 단점으로 보겠지만 오히려 그 반대야. 인간은 불완전한 서로의 세계로 서로를 끌어들이니까…….”

두 개의 영화 중에서 이 두 대목이 또렷이 기억나는 것을 보면 아름다움만이 절실한 기억이 되는 것은 아닌 듯싶다. 방귀는 오직 살아 있는 사람의 내장이 만들어 낼 수 있는 가스다.

방학식날의 종례

어렸을 때 만홧가게에서 본 만화의 한 대목. 폭설이 내린 날. 무술을 배우는 제자에게 큰스님이 마당을 쓸라고 한다. 널찍한 마당을 쓸다 보니 슬쩍 꾀가 난 제자는 자신이 배운 무술도 시험해 볼 겸 손바닥 바람, 장풍을 써서 마당에 쌓인 눈을 한쪽으로 날려 버린다. 이 사실을 안 큰스님은 노발대발하신다. 빗자루로 쓸라 했지 누가 장풍을 쓰라 했느냐, 마당 쓸라고 너에게 장풍을 가르친 것이 아니었다는 것이 큰스님의 일갈이었다.

어떤 수단과 방법을 쓰든 결과를 얻어 내면 그만이라는 공리주의적, 결과주의적 입장에서 본다면 제자의 잘못은 없다. 그러나 장풍(기술)을 써서 쉽게 문제를 해결하기보다는 빗자루로 힘겹게 마당을 쓸어 가는 과정에서 얻어지는 '뜻밖의 깨달음'이란 것도 있을 것이라면, 마당을 쓸라는 큰스님의 가르침은 너의 몸을 수고롭게 움직여 스스로 깨달음을 얻으라는 가르침이었는지도 모른다. 42.195킬로미터를 오토바이를 타고 달리는 것과 맨몸으로 달려가는 것을 어찌 같다고 볼 수 있겠는가. 몸은 노동의 수고를 통해서 비로소 세상에 눈을 뜨는 것 같다.

방학이 몸으로 노는 시간이라고 한다면 가급적 장풍을 쓰지 말고 빗자루를 써야 할 시간이라는 이야기를 이렇게 길게 했다. 머리는 좀 쉬고 몸으로 놀자. 오늘 종례 끝.

잎사귀들, 2017

소동파, 한번 믿어 보자

여산의 안개비와 절강의 물결이여	廬山煙雨浙江潮
가 보지 못했을 때는 천만 가지 한이었는데	未到千般恨不消
가서 보고 돌아오니 별다른 것은 없고	到得歸來無別事
여산의 안개비와 절강의 물결이었네	廬山煙雨浙江潮

북송의 시인 소동파의 〈여산연우〉다. "나이아가라 폭포, 산토리니, 에펠탑, 가서 보니 그게 그거더라고. 별거 없더라고." 가기 전이나 가서 본 이후나 거기서 거기라는 말씀. 1,000년이나 떨어진 곳에서 시인은 우리를 다독인다. 주위에 해외여행 다녀오신 분들이 지천이지만 그리 달라 보이는 것 같지 않으니 소동파의 저 시를 일단 믿자. 아무것도 그리지 않은 흰 비단에 온갖 것이 다 있다잖은가. 믿어 보자고.

흰 비단에 그리지 않고 놓아둠도 뜻이 높더라

素紈不畫意高哉

만일 그림을 그린다면 붉고 푸른 두 가지에 불과하리

但着丹靑墮二來

한 물건도 없는 그 가운데 품지 않은 것이 없으니

無一物中無盡藏

꽃도 있고 달도 있고 금루 옥대도 다 그 속에 있더라

有花有月有樓臺

수목장

오늘 신륵사 뒷산에서 수목장 풍경을 보았다. 살아 있는 소나무 둥치에 철사줄을 달고 철제 이름표에 망자의 이름을 써 놓았다. 삶은 어쩔 수 없이 장소와 함께 기억된다지만 죽음도 그럴 필요는 없겠다 싶어, 옆에 있는 아내에게 나중에 남는 사람이 먼저 간 사람의 유골을 바다에 뿌려 주기로 했다. 공(空)으로 돌아가는 것이 여의치 않다면 차라리 표식도 없이, 우주의 미아로 돌아가겠다는 나름 결연한 선포였던 셈이다. 부엌에서 식기 딸그락거리는 소리가 들리는 것을 보니 저녁 먹을 시간이다. 밥 먹자.

공감, 타인의 불행을 감지하는 센서

작문 시간, 즐거웠던 추억을 소재로 해서 쓴 이야기 중에서 잘된 것을 골라 아이들에게 읽어 주면 반응이 시큰둥하다. 해외여행, 가족의 성공담, 이런 이야기들을 들으며 아이들은 오히려 자신의 상대적 박탈감을 느끼는 듯하다. 한마디로 아이들의 얼굴은 '너는 좋았겠구나. 난 그런 건 모른다' 하는 표정들이다. 그러나 슬픈 추억을 소재로 해서 쓴 이야기 중에서 잘된 것을 읽어주면 아이들의 눈빛은 빛난다. 그 빛나는 눈빛은 부모의 이혼, 가족의 죽음, 아버지의 실직과 같은 너의 슬픔에 나도 충분히 공감한다는 표지다. 선천적으로 인간에게 부착된 공감이라는 센서는 타인의 행복 앞에서보다는 불행 앞에서 더 민감하게 작동하는지도 모르겠다.

그럼에도 불구하고 미디어가 쏟아 내는 것은 행복의 기호들이다. 그 범람하는 행복의 기호들 앞에서 작동되는 것은 공감이 아니라 질투다. 소비의 대열에 편승해 행복의 기호들을 내 몸에 하나라도 더 부착하고 싶어 안달하는 거대한 질투! 불행한 이야기들이 더 쏟아져도 나쁘진 않겠다. 질투는 피곤하다.

기도, 2014

너를 기다리는 동안

첫날 첫 수업의 교수 내용은 황지우의 시 〈너를 기다리는 동안〉이다. "민주, 자유, 평화, 숨결 더운 사랑. 이 늙은 낱말들 앞에 기다리기만 하는 삶은 초조하다. 기다림은 삶을 녹슬게 한다"라고 착어(着語)에서 황지우는 쓰고 있다. 시인은 이쪽에서 수동적으로 기다리지만 말고 저쪽으로 능동적으로 다가서자고 말한다.

시의 제목 〈너를 기다리는 동안〉에서의 '너'의 의미는 무엇인가 생각해 보라는 책의 질문에 아이들은 뜻밖의 답을 한다. 하나는 '탄핵'이고 하나는 '택배'다. '탄핵을 기다리는 동안', '택배를 기다리는 동안'이 황지우의 원래의 시보다 살갑게 느껴졌다. 출발의 느낌, 좋다. 아래의 시의 '너'에 '탄핵'과 '택배'를 넣고 읽어 보라.

네가 오기로 한 그 자리에/ 내가 미리 가 너를 기다리는 동안/ 다가오는 모든 발자국은 내 가슴에 쿵쿵거린다/ 바스락거리는 나뭇잎 하나도 다 내게 온다/ 기다려 본 적이 있는 사람은 안다/ 세상에서 기다리는 일처럼 가슴 아리는 일 있을까/ 네가 오기로 한 그 자리, 내가 미리 와 있는 이곳에서/ 문을 열고 들어오는 모든 사람이/ 너였다가 너였다가/ 너일 것이었다가 다시 문이 닫힌다/ 사랑하는 이여,/ 오지 않는 너를 기다리며 마침내 나는 너에게 간다/ 아주 먼 곳에서 나는 너에게 가고/ 아주 오랜 세월을 다해 너는 지금 오고 있다/ 아주 먼 곳에서 지금도 천천히 오고 있을 너를/ 너를 기다리는 동안 나도 가고 있다/ 남들이 열고 들어오는 문을 통해/ 내 가슴에 쿵쿵거리는 모든 발자국 따라/ 너를 기다리는 동안 나는 너에게 가고

책이여, 안녕

책은 속이 꽉 찬 물건이라 부피에 비해 무게가 꽤나 나간다. 이렇게 고밀도의 물건은 머릿속에 저장하고 처분하는 것이 상책이지만 책은 책장에 꽂혀 있다는 것만으로도 안도감을 줄 때가 많다. 지식을 체외(體外)에 확보하고 저장했다는 데서 오는 느긋함이 안도감의 정체일 것이다. 그러나 이 안도감에 따르는 비용은 막대하다. 책값도 책값이지만 가장 큰 문제는 수납공간의 부족이다. 빼곡히 책으로 들어찬 집은 쾌적함과는 거리가 멀다. 책에 기생하는 진드기, 책을 갉아먹는 좀벌레로 책이 많은 집은 그야말로 '인섹토피아'다. 단지 우리는 꼬물거리는 미물들을 의식하지 못한 채 살아갈 뿐이다. 아름다운 공생.

벌레도 벌레지만 책이 좋다고 달려드는 것은 무엇보다 먼지다. 인간이 우주의 먼지로부터 생겨났다고 하지만 책은 우주의 먼지 그 자체다. 책장은 먼지와 함께 숨 쉬고 있는 책들의 우주쯤으로 생각하면 크게 틀리지 않을 것이다.

이사를 앞두고 요 며칠 많은 책을 정리했다. 정리한 책들의 면면을 살펴보니 대부분 인터넷 서점에서 더블 클릭으로 구입한 책이다. 누가 좋다 하더라는 소문에만 의지해서 산 책, 미디어의 권위만 믿고 미디어 추천도서라고 해서 덜컥 구입한 책들이 대부분 책장에서 방출되었다. 발품을 팔아 책방에 가서 직접 책의 갈피를 뒤적여 내용을 확인한 후 구입한 책은 대부분 이번 '정리해고' 대상에서 제외되었다. 마감에 쫓기면 자료에 얽매이는 법, 마감에 쫓겨 구입한 책들도 대부분 비워졌다. 지성인이라면 이 정도의 책은 읽어 줘야 하지 않겠어, 라는 식의 지적 허영심에서 구매한 책들도 대부분 비워졌다. 한 사람의 허영심, 한 사람의 거품은 그의 옷장이나 신발장 안에도 있고, 그의 책장 안에도 있다.

자신을 실재보다 우월한 존재로 착각하는 허영심은 자아를 팽창시키고 싶은 욕망의 산물이다. 그러나 그런 허영심이 없다면 뒷골목 날건달은 평생 그 바닥을 떠날 수 없을 것이다. 내 비록 당신들 같은 떨거지들에게 깨지고 있지만 언젠가 이 바닥을 떠나게 될 것이라는, 변화에 대한 희망이 실은 허영의 다른 이름이다. 나의 과거는 어두웠지만, 나의 과거는 힘이 들었지만, 나의 미래까지 그럴까 보냐는 부정의 정신이 실은 허영의 다른 이름일 수도 있다. 어떤 사람에게 허영은 거품이 아니라 목숨일 수도 있다. 다른 삶을 살고 싶다는, 절박한.

그러나 옷장이나 신발장, 책장 안의 허영심은 그런 종류의 절박한 허영심과는 다르다. 비워 내도 목숨에 지장이 없다. 칙칙한 것들이여 안녕. 이사 준비 끝이다.

으뜸의 말

이런 말은

으뜸에 속한다.

"그러려니."

담백하고

담대하다.

너의 이야기를 너의 언어로 쓰라

중학교 국어 시험 문제란다. 맞춰 보시라.

문장 호응관계를 고려할 때 괄호 안에 알맞은 말은?
"내가 (   ) 돈은 없을지라도 마음만은 부유하다."

나와 아내의 답은 '비록'이었다. 그러나 전직 시내버스 운전기사 안건모 선생의 글쓰기책 《삐딱한 글쓰기》는 '씨발'이 하나의 답이 될 수도 있음을 말한다. "내가 (씨발) 돈은 없을지라도 마음만은 부유하다." '비록'이란 부사보다 '씨발'이란 부사를 넣었을 때 오히려 감정의 굴곡과 박진감이 더 잘 살아난다. 글은 그래야 맛이다. 정답은 없다.

〈작은책〉의 발행인이자 《삐딱한 글쓰기》의 저자인 안건모 선생이 이 책을 통해서 말하는 것은 한결같다. 무엇을 쓰더라도 너의 삶, 너의 이야기를, 너의 언어로 쓰라. 그것이 욕이 되었든 속어나 비어가 되었든 너의 언어로 사유하고 너의 언어로 말하라. 적어도 당신이 이 땅에서 일하는 사람이라면 말이다. 노동자로서 당신이 삶의 속내를 정직하게 쓸 수 있을 때 세상은 조금이라도 나아진다는 것이 책이 말하는 안건모 선생의 신념이면서 그의 글쓰기 스승이라는 이오덕 선생의 신념이 아닐까. 나도 거기에 절반 이상은 동의한다.

남의 눈의 티끌, 내 눈의 들보

해야 할 일이 오직 생각 하나뿐일 때 생각은 제 기능을 온전히 수행하지 못한다. 마음은 외물(外物)에 접하고 나서야 비로소 기억을 호출하거나 상상의 날개를 펴기도 한다. 더구나 우리의 뇌는 매일 보는 사물은 제로(Zero)로 인식하는 경향이 농후해서 침실에 걸린 액자의 풍경은 간과하려고 든다. 코의 후각도 마찬가지여서 지속되는 후각 정보, 냄새 속에서는 냄새를 모른다. 귀도 지속되는 소음은 제로로 간주하곤 한다. 눈과 코와 귀가 제 기능을 다 하는 곳은 새로운 풍경과 신호 앞에서다.

우리의 뇌는 새로운 정보를 선호한다. 이 새로운 정보를 선호하는 인지 시스템이 낳은 부작용 중의 하나가 남의 눈의 티끌은 보면서도 내 눈의 들보는 간과한다는 사실이다. 남의 눈의 티끌은 새로운 신호이지만 내 눈의 들보는 매일 반복해서 보게 되는 정보이기 때문이다. 매일 반복되는 것은 없는 것, 제로로 간주하는 인지 시스템이 엄연히 존재하는 것을 좀비로 만들고 만다. 감각의 쇄신을 위해서라면 죽었다 깨어나 보든지, 여행이라도 떠나보든지, 그것도 불가하다면 되우 아파 보든지.

청년, 2016

기상이변, 2012

마음의 온도

이놈에게 뜨거운 맛을 보여 주라는 두목의 명령을 받고, 그놈의 옷을 몽땅 벗기고 냉동 창고에 가뒀다. 자, 이것은 차가운 맛을 보여준 건가, 뜨거운 맛을 보여 준 건가?

여름날 친구 집에 갔더니 친구 어머니께서 땀 닦으라며 얼음 수건을 주시고, 빙수를 갈아 주시고, 에어컨을 틀어 주셨다. 자, 이것은 차가운 대접인가, 따스한 대접인가?

이 질문에서 차가움과 따스함은 물리적 온도가 아니라 마음의 온도다. "그해 겨울은 봄보다 따스했네. 그녀의 뜰에 안겨 마음은 연분홍의 봄날이었네"라는 시로 봄날에 떠난 누군가를 추억할 때의 사내가 느끼는 온도처럼.

황혼은 어디서 그렇게 아름다운 상처를 얻어 오는가

1판 1쇄 인쇄 2017년 10월 25일
1판 1쇄 발행 2017년 10월 31일

지은이 김보일
펴낸이 임중혁
펴낸곳 빨간소금
등록 2016년 11월 21일(제2016-000036호)
주소 (04044) 서울시 마포구 양화로8길 17-9, 2층
전화 02-916-4038 **팩스** 0505-320-4038
전자우편 jioim99@hanmail.net
ISBN 979-11-959638-6-7 (03810)

*책값은 뒤표지에 있습니다.